RAVEL

© Éditions du Seuil, 1956. Toute reproduction interdite y compris par microfilm. ISBN 2-02-000223-X

*Costume du chat pour
l'Enfant et les Sortilèges.
(P. Colin).*

CE LIVRE, LE TROISIÈME DE LA COLLECTION « SOLFÈGES », A ÉTÉ RÉALISÉ AVEC
LE CONCOURS DE MARIE-JEANNE NOIROT ET DE DOMINIQUE RAOUL-DUVAL
SOUS LA DIRECTION DE FRANÇOIS-RÉGIS BASTIDE.

RAVEL

vladimir jankélévitch

série dirigée par françois-régis bastide

solfèges/seuil

L'évolution

« *Je sens battre son cœur.* »
(Maurice Ravel à propos d'un pinson mécanique [1].)

La rapidité avec laquelle Maurice Ravel trouve la perfection tient du prodige. Ravel, comme son maître Fauré, et dans une certaine mesure comme Chopin, est presque tout de suite lui-même. Ce n'est pas qu'on ne puisse retrouver à travers cette œuvre les états successifs de la sensibilité littéraire depuis 1890, et la trace des influences subies, et les jeux mêmes de la mode : à la fin du siècle passé Chabrier, Satie et les Russes, sans oublier une certaine langueur « fin de siècle » qui lui passera bien vite ; plus tard, au long des années fécondes qui s'échelonnent entre 1905 et la guerre, le retour à Couperin ; après la guerre le jazz, Stravinski, la polytonalité. Et pourtant, malgré la mobilité de ses visages, l'art de Ravel n'a pas eu la folle sensibilité de l'art debussyste ; dès le début il est évident que ce jeune homme sera plus volontaire et moins réceptif que Debussy. Aucune influence ne peut se flatter de l'avoir conquis tout entier ; les styles nouveaux, on dirait qu'ils éveillent en lui plus de curiosité technique que de réceptivité, modifiant son écriture mais non point son langage, laissant pour toute trace ici un accord, là tel artifice d'instrumentation ou telle particularité d'orthographe : car il avait, lui si peu influençable, l'oreille merveilleusement fine et une gourmandise presque illimitée d'inentendu, de précieux et de rare ; mais ce sont là des recherches où la sensibilité harmonique est seule engagée, et non la qualité mentale de l'émotion. Autant Debussy se montre impressionnable et susceptible aux moindres tressaillements, aux variations les plus fugitives du goût, autant Ravel demeure jalousement insaisissable derrière tous

---

1. Cité par René CHALUPT, *Ravel au miroir de ses lettres*, p. 259.

*Ricardo Vinès et Ravel
à l'époque des Jeux d'eau.*

ces masques que lui prêtent les snobismes du siècle. Pourtant il n'était pas en marbre. Pourtant il a vibré lui aussi aux souffles les plus imperceptibles de la peinture et de la poésie : symbolisme, impressionnisme, cubisme, les Ballets russes, et Mallarmé, et Henri de Régnier, et Fargue... que ne pouvait-il capter avec les antennes délicates dont sa musique était pourvue ?

Cette musique, disons qu'elle fut tout de suite lucide et clairement consciente de ses propres intentions. Lucide, plutôt que précoce : car il ne court sur son compte aucune de ces anecdotes fabuleuses avec lesquelles se fabrique à l'ordinaire l'hagiographie des enfants prodiges ; il n'a pas, comme les nourrissons mythologiques, étranglé deux boas dans son berceau ni composé un concerto à trois ans ; même il fut, somme toute, un assez mauvais élève, et l'on sait que son échec au concours de Rome occupe une place mémorable dans la liste des grandes erreurs judiciaires de l'Institut. Pourtant le succès de Debussy prouve que la soumission aux conventions de la Cantate n'est pas absolument incompatible avec les audaces du génie. Il est vrai justement que Debussy tâtonna bien davantage parmi les propositions engageantes de la facilité ; Debussy fut longtemps avant de savoir dire non à l'agrément et à la complaisance, avant d'élire la porte étroite... Et Ravel au contraire, il va tout de suite et droit au but, comme par une prescience infaillible de la perfection formelle. Non, sa main à lui ne tremble pas. Songe-t-on assez que la Habanera de la *Rhapsodie espagnole*, avec ses appogiatures inouïes, date de 1895 ?

1895 ! l'année miraculeuse de la *Cinquième Barcarolle*, l'année où Fauré sans doute médite déjà *Prométhée*, où Debussy travaille à ses *Trois Nocturnes* d'orchestre et joue sur l'harmonium de Pierre Louÿs les premiers fragments de *Pelléas* ! Années incomparables qui refont de Paris la capitale musicienne de l'Europe... Ravel cette année-là a vingt ans. Dans les œuvres qu'il écrit jusqu'à 1900 est-il possible de reconnaître des préférences, des lectures, voire des citations ? Ravel d'abord a aimé MASSENET, cela est certain ; Ravel a prêté l'oreille aux sirènes mélodieuses du plaisir : car la jeunesse n'a pas toujours été aussi austère qu'aujourd'hui. On sait de reste quel attrait Manon et Charlotte exercèrent sur M. Croche, et quelles expressions il trouva pour célébrer la grâce « des teintes claires et des mélodies chuchotantes[1] ».

---

1. *Monsieur Croche antidilettante*, p. 85.

Ne l'eût-il pas avoué que nous l'aurions quand même deviné, rien qu'à entendre le Clair de lune de la *Suite bergamasque* ou la seconde *Ariette oubliée* interrogeant « Quelle est cette langueur... ? » Parmi les raisons du discrédit où Massenet est tombé figurent non seulement notre légitime dégoût de la facilité, mais aussi, n'en doutons plus, un complexe de rancune contre notre propre plaisir, le goût masochiste de l'ennui, le culte de la fausse profondeur et une sorte de frivolité à rebours très courante dans les salons d'aujourd'hui... Comment la dure musique de Ravel, à son tour, devrait-elle quelque chose à la phrase câline de Massenet, cette phrase si molle, si approximative et sensuelle que les jeunes femmes elles-mêmes, pour qui elle était faite, lui préfèrent aujourd'hui l'*Art de la fugue* ? Massenet, c'est la complaisance, la facilité et le relâchement ; tout le contraire de l'aigu et du tranchant ravéliens. Ravel, qui n'abordera pas volontiers le lyrisme d'opéra ni généralement l'exhibition théâtrale, Ravel incarne pour nous la probité, l'humour, le laconisme ; ses harmonies parfois sont des morsures. Mais justement si cette méchanceté n'était que le masque ambivalent de la tendresse ? Surveillons bien, du *Menuet antique* de 1895 au *Concerto* de 1930, la courbe du mélisme ravélien, car nous y surprendrons peut-être, honteusement réprimée, l'arabesque voluptueuse et la caresse de Massenet.

Ce jeûne sévère auquel Ravel va se soumettre, il faut dire qu'il sera le régime constant de son maître GABRIEL FAURÉ. Justement Fauré succède à Massenet en 1896 dans la chaire de composition du Conservatoire. Cette classe de Fauré qui fut pour les compositeurs, selon Roland-Manuel, ce que le salon de Mallarmé fut pour les poètes, « un lieu de charme propice aux libres colloques », la classe de Fauré enseignera à Ravel la force du pianissimo et l'éloquence de la réticence. Outre une *Berceuse* subtile pour piano et violon, Ravel lui dédie le *Quatuor en* Fa *majeur*[1], où c'est bien la sveltesse de *Lydia*, avec une pointe d'acidité en plus, qui flotte gracieusement autour de la tendre cantilène et enveloppe les notes de sa fine lumière bémolisée. Et que dire encore de ce *Jardin féérique*, tout proche parent du *Dixième Nocturne* et du noble Epithalame de *Shylock* ! Menuets, madrigaux et pavanes composent

---

1. Relire les pages charmantes que Ravel consacra au *Clair de lune* dans le numéro spécial de la *Revue musicale* consacré à Fauré (1921-1922, p. 24-25). Sur l'influence de Fauré, cf. l'*Heure espagnole*, p. 107 et *Valse* (piano seul), p. 13.

aux deux musiciens un décor bergamasque, décor de fête galante où évoluent l'éternel Clitandre et tous les fantoches du carnaval. *Le plus doux chemin* et l'intermède des joueuses de flûte au premier acte de *Pénélope*, le *Madrigal* en *Ré* mineur et la *Pavane* en *Fa* dièse tracent une voie où déjà s'engageait Gounod dans *O ma belle rebelle* et que jalonneront, outre les fêtes galantes de Ravel, certaines pages toutes fauréennes de Messager. Cette voie est « le plus doux chemin » du charme bergamasque. Le climat de la pénombre et de l'ironie affectueuse, et surtout ce parler allusif, ce parler tout entier « en sourdine »... qui donc s'y tromperait ? tout cela vient à Ravel de la douce, de l'inépuisable, de la mélodieuse rivière

En classe de composition avec Fauré.

de musique et de chants qui s'écoule calmement à travers les treize Barcarolles comme un fleuve de miel. Ravel a vécu dans ce rayonnement de charme dont Fauré a été le centre pendant près d'un demi-siècle ; aussi convient-il d'associer dès les premiers pas le musicien du *Secret* au nom de l'artiste le plus secret lui-même, le mieux masqué, le plus jalousement pudique que la France ait connu depuis Racine.

Après la suprême distinction, la truculente cocasserie : CHABRIER est l'une des sources principales de la musique de Ravel. Plus encore que Massenet ce nom étonnera : il y aurait donc une affinité entre l'autodidacte si plein de verve, mais si terriblement inégal que fut Chabrier et le subtil

Chabrier par E. Detaille (1887).

artisan du Trio, toujours épris de perfection formelle ?
entre l'humour pincé et quelque peu patricien de l'*Heure
espagnole* et l'énorme drôlerie de l'*Étoile* ? Voici le polichi-
nelle de la *Joyeuse Marche* qui entre comme le tonnerre en
éclatant de rire et faisant des cabrioles, et qui agite tous ses
grelots ; ce grossier personnage, avec sa trogne, son nez
postiche, sa bosse, et, sur les joues, ses deux taches de ver-
millon, aurait vite fait de casser toutes les porcelaines
d'Adélaïde ! Quel rapport entre cette « burla » bon enfant et
l'humour un peu acide de Ravel le pince-sans-rire ? et depuis
quand l'exubérance va-t-elle de pair avec la pudeur ? Mais
peut-être notre embarras est-il sans raison... Dans le *Pas
espagnol*, Fauré, l'artiste le plus raffiné de la terre, n'accorde-
t-il pas une pensée à Chabrier ? Sans parler de l'Espagne,
qu'ils aimèrent l'un et l'autre d'un amour égal, disons que
Ravel doit à Chabrier en première ligne la notion d'un plaisir
purement musical et sans rapport avec la littérature[1]. Chabrier,
lâché en pleine musique, ressemble à ces démons de la farce
dont parle Kierkegaard, « fils du caprice, ivres de rire et
dansant de joie[2] » ; avec l'instinct pour seul et infaillible
guide, stimulé en outre par une ouïe exceptionnellement
délicate et par un appétit insatiable de nouveauté, il expérimente le premier toutes sortes de savoureuses combinaisons
et il assemble les notes pour le plaisir exclusif de l'oreille.
Le Ravel de 1899, au moment où il risquait cette phrase
gwendolinienne :

n'avait pas envie de parodier. Les pirates de *Daphnis*, *Tout
gai*, la *Chanson à boire* et le Rigaudon si exubérant du *Tombeau
de Couperin* ne le cèdent guère à la *Joyeuse marche* en alacrité.
Certes il lui est arrivé de désavouer le chabriérisme immodéré
de la *Pavane pour une infante* ou de ce *Menuet antique*, frère

1. Igor Stravinski a exprimé en termes chaleureux sa sympathie pour
Chabrier (*Chroniques de ma vie*, t. I, p. 43).
2. La *Répétition*, trad. Tisseau (Paris, 1933), p. 81.

jumeau du *Menuet pompeux* ; car Chabrier, en règle générale, écrit tout ce qui lui passe par la tête, prodiguant indistinctement le génial et le pire, les trouvailles inouïes et les rengaines de la foire, la poésie la plus pénétrante et le mauvais goût le plus scandaleux — le tout, d'ailleurs, avec la même générosité, car cette nature volcanique n'a jamais su choisir. Comment un artiste aussi probe et scrupuleux que Ravel n'aurait-il pas été choqué par ce bric-à-brac où se coudoient les walkyries et les couplets du café-concert ? Comment supporterait-il ce régime de douche écossaise où la platitude et la vulgarité la plus décourageante dans les idées mélodiques alternent avec les raffinements exquis ? Relisons la parodie sans malice que Ravel, en 1913, écrivit « à la manière d'Emmanuel Chabrier » : ainsi le gentil Séverac, sous les lauriers-roses, s'égayera avec bonhomie aux dépens du *Scherzo-Valse*[1]... Il lui reproche notamment le baroquisme exagéré de l'expression, le style constamment appoggiaturé avec les notes de passage, les basses un peu tarabiscotées, et cet unisson sentimental des deux mains chantant à plusieurs octaves de distance, comme à l'opéra, pour doubler la mélodie et prendre l'auditeur aux entrailles. Mais à sa moquerie on reconnaît aussi ses préférences : modes anciens, septièmes de sensible et neuvièmes de dominante montant parallèlement vers l'aigu, et ces claires sonorités si françaises, si pleines de futur, et cette incursion subite en *Fa* dièse majeur qui traverse soudain, comme une lubie, la valse de *Faust* ; la parodie ne devient-elle pas ici un hommage au fils du délire, du caprice et de la liberté ? Claires, gracieuses neuvièmes, neuvièmes non résolues, et juxtaposées pour le seul plaisir des sens ! la musique française, en 1887, les expérimente avec ravissement, dans ces trois *Sarabandes* d'abord, où Erik Satie les aborde sans préparation, les manipule sous toutes leurs faces, s'enchante de leurs fraîches sonorités tour à tour argentines ou bizarrement hiératiques, ensuite dans le Prélude du *Roi malgré lui* avec ses sonneries qui sont pour ainsi dire les fanfares du grand air libre et du plein ciel. La *Habanera* de 1895, d'autre part, double le chant à l'exemple de la *Habanera* de Chabrier. Et faut-il ajouter que, sans la Deuxième *Valse romantique*, la Septième *Valse noble et sentimentale* n'existerait peut-être pas ? ni la Feria de la *Rhapsodie espagnole* sans *España* et sans *Scherzo-Valse* ?

---

1. *Sous les lauriers-roses*, p. 15-18.

Ravel eut à peine le temps de connaître Chabrier, mort en 1894 ; en revanche, il fut contemporain des premières excentricités de SATIE, de ses intuitions géniales, de ses prospections hasardeuses au no man's land de l'harmonie. M. Pierre-Daniel Templier rappelle[1] comment il tint à jouer lui-même à la S. M. I. en 1911 quelques œuvres de jeunesse de Satie, entre autres la Seconde *Sarabande* (qui lui fut d'ailleurs dédiée), un *Prélude du Fils des étoiles* dont il fit (en 1913) une orchestration restée inédite et la Troisième *Gymnopédie*. Le musicien des *Sites auriculaires* lui aussi eut sans doute sa période ésotérique, et il écrivit en « style plat » à l'époque précisément où Erik fréquentait le Chat-Noir et le Sar Péladan ; une mélodie de 1896, *Sainte*, d'après Mallarmé, avec sa procession d'accords impassibles rêveusement juxtaposés évoque les *Sonneries de la Rose-Croix* autant que la *Damoiselle élue*. Les enchaînements du Prélude de l'*Heure espagnole* viennent peut-être de là. La fascination qui envoûte l'immobile *Gibet* et méduse le monotone *Boléro* n'est pas sans rapport avec l'obsession des *Gnossiennes*. Quant à cette succession défaillante de neuvièmes de dominante, qu'alignent la *Pavane pour une infante défunte* et *Manteau de fleurs*, ou, en neuvièmes mineures, la *Vocalise-étude*, leur provenance est claire ; elles ont pour origine la langueur dolente et précieuse de l'euthanasie qui fait défaillir les *Sarabandes*. Debussy saura s'en souvenir dans le deuxième mouvement de sa suite *Pour*

---

1. P.-D. Templier, *Erik Satie* (collection Rieder, 1932), p. 32-33. (« Il me certifie, toutes les fois que je le rencontre, qu'il me doit beaucoup. Moi je veux bien », disait Satie de Ravel.)

le piano. « Ma sœur, entends-tu pas quelque chose mourir ? »
Mais il faut remarquer que dans la *Serre d'ennui* (1896)
Chausson cédait lui aussi l'enchantement de ces sonorités[1].
Ces successions languides, ces sonores neuvièmes, on les lira
encore dans la Première *Epigramme* de Clément Marot, et
jusque dans l'*Asie* de *Shéhérazade*. Comme Ravel est déjà plus
artiste, plus dégourdi et moins compassé que le silène d'Arcueil ! C'est bientôt lui, le pionnier, l'explorateur, le frayeur
de voies qui se mettra, vieux débutant, à l'école de Ravel[2].
Ravel pourtant n'a cessé de lui être fidèle[3], et jusque dans cette
Fanfare de l'*Eventail de Jeanne* (1927) où l'inscription ironique « wagneramente » vient nous faire souvenir de la
« Wagnerie kaldéenne » ; car Satie et Ravel sont frères en
humour comme ils le furent naguère en langueur et hermétisme. Qui sait même si le macabre fantasmagorique de
Gaspard ne doit rien à l'auteur des *Danses gothiques*, à l'amateur de donjons et de tourelles en bronze ? Satie et Ravel
redoutent, tant est ombrageuse leur pudeur, d'être dupes de
ce qu'ils chérissent le plus au monde : c'est pourquoi Chabrier,

---

1. *Serres chaudes* de Maeterlinck, op. 24 (recueil Rouart, p. 35, 36),
(et Franck, *Hulda III*). Cf. Debussy, *Pelléas et Mélisande*, acte V (p. et ch.
p. 292). Ch. Kœchlin, *Poèmes d'automne* op. 13, n° 2 : *Les rêves morts*
(p. 12-13, 17). Darius Milhaud lui-même juxtapose sans cesse ces neuvièmes
dans les *Sept poèmes de Paul Claudel extraits de la Connaissance de l'Est*
(1912-1913).
2. Voir dans le *Satie* de P.-D. Templier (planche 28 communiquée par
Darius Milhaud), une analyse du *Noël des jouets*.
3. Roland-Manuel, *Maurice Ravel et son œuvre* (Durand, 1914), p. 9. Le
même auteur (*A la gloire de Maurice Ravel*, p. 30, 33, 34 ; *Revue musicale*,
1925, p. 18 ; *Maurice Ravel et son œuvre dramatique*, p. 77) appelle la Valse
de la *Belle et la Bête* la 4e Gymnopédie. Ravel dédie à Érik son 3e Poème
de Mallarmé, *Surgi de la croupe et du bond* ; Erik à Mme Joseph Ravel sa
2e Description automatique, *Sur une lanterne*.

Ravel est un prix de Rome d'un très
grand talent. Un Debussy plus épatant.
Il me certifie — toutes les fois que je le rencontre —
qu'il me doit beaucoup.
Moi, je veux bien.
Ton frère :

gentiment malmené dans la « Paraphrase de *Faust* », sert aussi de cible à Satie dans *Españaña* : il est vrai que Chabrier avait parodié Wagner comme Satie et Ravel parodient Chabrier, et les impertinents *Souvenirs de Munich* (« Fantaisie sur des thèmes favoris de Tristan ») annoncent à la fois *Golliwog's cake-walk* et le *Quadrille tétralogique* de Fauré-Messager. Disons plus : Ravel eut en commun avec Satie cet esprit de non-conformisme et de farouche indépendance qui le retint en marge des honneurs et des décorations ; qui le prévint, comme Satie lui-même, contre les attachements féminins ; qui le rendit si secret et si déroutant.

Si Ravel réapprend auprès de Satie le goût de la liberté, auprès de Chabrier et de Fauré la confiance en son propre plaisir, il trouva chez les Russes un aliment inépuisable pour ses curiosités modales, rythmiques, et harmoniques. On imagine l'émerveillement des musiciens français, à partir de 1880, devant cette poésie violente, tour à tour rêveuse et très sauvage... Comment s'étonner que les cloches de *Boris*, de la *Pskovitaine* et du *Prince Igor* aient sonné la déroute des divinités méchantes, des papillons noirs et de tous les boniments tétralogiques ? Ravel à son tour, mû par cet appétit de nouveauté qui lui est propre, découvre avec ravissement l'indolence voluptueuse des mélodies slaves ; quelque chose en est passé peut-être dans les *Beaux oiseaux du paradis* dont le ton modal de *Fa* mineur et les retours à l'unisson de la tonique exhalent une sorte de nostalgie russe. Les pédales et la jolie couleur chromatique de BORODINE l'ont charmé, et bien qu'il ait pu en sourire dans la Valse « à la manière de Borodine », on sent parfois errer dans son œuvre les jeunes filles du *Prince Igor* et l'ombre du « Notturno » du Deuxième Quatuor. Qui oserait dire aussi que la danse des Pirates et la Bacchanale finale de *Daphnis* ne doive rien au tourbillonnement d'une célèbre Danse polovtsienne ! qu'on n'y reconnaît pas un Borodine dissonant et un peu méchant ! Ces pirates, par leur agilité, s'apparentent aux Tatars de Borodine plus qu'aux lourds Danois wagnériens de *Gwendoline*. A BALAKIREV[1] il doit, comme à Liszt, certaines audaces de son pianisme — car *Islamey* est, avec *Tamara*, une des sources ravissantes de notre renouveau, et la sœur aînée d'*Ondine*

---

1. Il paraît que dans le Prélude de *Myrrha* (1re Cantate de Ravel primée au Concours de Rome en 1901) un thème aux violoncelles et contrebasses trahit Balakirev (C. Photiadès, in *Revue de Paris*, 1938, 1, III, p. 221).

Rimski-Korsakov.

et de l'*Alborada* ; à RIMSKY-KORSAKOV, plutôt le délié de l'orchestre, le coloris des timbres et la virtuosité instrumentale. Non que la subtile *Shéhérazade* française ressemble beaucoup aux quatre brillantes images symphoniques de Rimsky : n'empêche que l'orchestre de Ravel, autant que celui de Dukas dans la *Péri*, est bien tributaire, du *Capriccio espagnol*. Les cadences du Prélude à la nuit, les grands traits de harpe de la Feria dans la *Rhapsodie espagnole* ne se rattachent-ils pas à la *Shéhérazade* de Rimsky ? Et qui dira jamais pourquoi, dès les premières pages d'*Asie*[1], la cantilène de la main droite fait irrésistiblement penser à *Antar* et à sa grêle « mélodie arabe » ? Même dans l'Adagio du *Quatuor* il y a tels battements de triples croches qui ne trompent pas et qui révèlent clairement leur origine russe. Peu avant la troisième partie de *Daphnis* certaines alternances de tona-

---

1. *Shéhérazade*, version piano et chant, I, p. 6 : « Je voudrais voir de beaux turbans de soie... » ; et *Antar*, 4e partie. Cf. Debussy, *En sourdine.*

Moussorgski.

lités font penser non seulement à la *Pskovitaine*, mais à
Boris... C'est que Ravel, par-dessus tout, a fait ses délices de
MOUSSORGSKI : il a goûté, comme Pelléas, la saveur fraîche,
acidulée, astringente de ces secondes consécutives qui
hérissent de leurs plissements la *Chambre d'enfants* : dans le
Noël des jouets, dans les *Histoires naturelles*, dans la scène du
Père Arithmétique de l'*Enfant et les Sortilèges*, nous retrou-
verons cette minutieuse précision des notations, ce goût du
détail, cette discontinuité capricieuse du discours, ce réalisme microscopique enfin qui caractérisent le génial musicien
des *Tableaux d'une exposition* ; mais ce que Moussorgski fut
par instinct, Ravel le sera en civilisé, par étude et industrie
extrêmes. N'est-ce pas ici le lieu de rappeler que Ravel
instrumenta les *Tableaux d'une exposition* et des fragments
de la *Khovanchtchina* ? Le *Scarbo* de *Gaspard* semble une
réincarnation du *Gnomus* des *Kartinki*, et les staccatos de

Nicolette font penser à la fois à ceux du *Gopak* et à l'humour du *Bouc*... Ravel se rappellera longtemps le perroquet fugitif du cinquième acte de *Boris*, et l'apparition de l'automate, et la scène du carillon. Les ballets d'oiseaux, concerts d'insectes[1] rempliront longtemps de leurs aigres musiques les Enfantines de Ravel : *Ma mère l'Oye, L'Enfant et les sortilèges*, comme ils rempliront le jardin bourdonnant d'Albert Roussel. Il n'est pas jusqu'à l'hébraïsme qui ne soit commun à Ravel et à Moussorgski : et de même que Ravel confronte *Kaddish* et l'*Énigme éternelle*, la prière hébraïque et la chanson yiddisch, l'Ancien Testament et Mayerke, ainsi, chez Moussorgski, *Josué* et le Cantique des cantiques côtoient Samuel Goldenberg et les Juifs du ghetto de Sorotchintsi.

Par-dessus tout c'est à François Liszt que Ravel se rattache ; c'est au merveilleux orchestre, si moderne déjà, si violent, si métallique, si élastique, de *Méphisto-Valse* et de la *Faust-Symphonie*, que l'orchestre de la *Rhapsodie espagnole* et de la *Valse* ressemble le plus. Ravel avait découvert dans les *Douze Études transcendantes* et dans les *Trois Études de concert* un trésor de nouveautés techniques, harmoniques et sonores : le grésillement des *Feux Follets*[2] se retrouve dans *Scarbo* ; le *Bruissement de la forêt* revit dans le volètement capricieux des *Noctuelles*. Déjà la *Vallée des cloches*, avec son angélus pastoral et son décor d'helvétie romantique semble provenir d'une Année de pèlerinage... Les *Jeux d'eau* murmurent à Versailles comme à la Villa d'Este... L'inouï des *Poèmes symphoniques*, les sonorités cristallines de *François d'Assise prêchant aux oiseaux*, le non-conformisme des *Études* trouvent en Ravel un héritier ! Maurice Ravel se reconnaît lui-même sinon toujours dans le génie du romantisme, du moins dans l'esprit d'audace et de liberté que Liszt le rhapsode, le modernissime, incarna pour la musique française. La *Rhapsodie espagnole* et les *Rhapsodies hongroises* du génial romantique ne trouvent-elles pas un écho dans *Tzigane* et dans la *Rhapsodie espagnole* du musicien français ?

---

1. Le Cousin et la Puce de *Boris*, le Hanneton des *Enfantines*, les Poussins des *Tableaux d'une exposition*, la Pie... Chez Ravel, le Grillon des *Histoires naturelles*. Penser aussi au Prologue de *Snegourotchka*. Pour l'influence de Moussorgski, cf. encore *Daphnis*, p. 67-68 (fin de la 2e Partie) ; l'*Enfant et les Sortilèges*, p. 15. Cf. un article de Ravel sur *Boris* in *Comœdia illustré*, 1913.

2. Cf. Mendelssohn, *Capriccio brillante*, op. 22.

De g. à d. : *Robert Mortier, l'Abbé Léonce Petit,*
Ravel, Ricardo Viñès et Jane Mortier.

I. 1875-1905

La première époque du style de Ravel comprend trois
œuvres pour piano : le *Menuet antique, Pavane pour une infante*
défunte et *Jeux d'eau* (les deux premiers sont orchestrés) ;
des œuvres vocales (quatre mélodies, et surtout *Shéhérazade*
pour chant et orchestre) ; enfin le *Quatuor à cordes en fa*
majeur (1902) qui inaugure l'époque de la plus grande maîtrise.
MENUET ANTIQUE Le MENUET ANTIQUE (1895) est une œuvre assez insigni-
fiante et quelque peu conventionnelle. Oserons-nous dire qu'il
y a dans le « Menuet pompeux » des *Pièces pittoresques* de
Chabrier plus de spontanéité et plus de bonhomie ? Du
Menuet antique au subtil *Menuet sur le nom de Haydn* et au
Menuet du *Tombeau de Couperin* la distance est certes aussi
grande que de la *Pavane* à l'*Alborada*, c'est-à-dire de l'Espagne
de Hugo à celle de Manet. Le *Menuet antique* se croit-il
« antique » parce qu'il renonce aux notes sensibles ? Le fait
est que *Fa* dièse mineur ne veut pas entendre parler d'un
mi ♯ (et accepte même un *sol* naturel) ni *Do* dièse d'un *si* ♯.

Mais ce ne sont là que des gentillesses. Les modulations paraissent timides et le musicien tire un peu à la ligne. Pourtant ne faisons pas la moue. Il y a dans le « trio » du milieu, avec son charmant *si* ♮, je ne sais quoi de gracile et d'ingénu qui n'est point ordinaire ; les clausules de ce trio feraient parfois pressentir la Forlane du *Tombeau de Couperin*, si elles ne finissaient en queue de poisson, sur une cadence traditionnelle. Le Ravel d'*Adélaïde* apparaît aussi dans tels ravissants accords que l'orchestre confie à la harpe et aux cordes (plus une note piquée par la petite flûte). On y devine la grâce savante et un peu mièvre du Menuet sur le nom de Haydn.

Adélaïde

Menuet sous le nom de Haydn

Pour entendre ces jeux, ces répétitions, ces révérences, ce badinage de notes aiguës on ne regrette pas d'avoir écouté jusqu'au bout le *Menuet antique*. — La Pavane, quoique pavane postérieure (1899), n'est guère défendable ; ses trois variations languissent un peu et l'on y chercherait en vain un accent personnel[1]. — Les célèbres Jeux d'eau (1901), par contre, jeux d'eau sont une œuvre pleine d'imagination — des trois, à coup sûr, la plus étonnamment magistrale, tant par l'originalité de l'écriture que par la poésie évocatrice qui s'en dégage. Des quintes, des quartes grêles flottent paresseusement sous les arpèges limpides de la main droite ; ces sonorités claires, cristallines, transparentes composent une atmosphère qui tient à la fois du romantisme de Liszt, de l'impressionnisme debussyste et, plus encore, des enchantements de la *Ballade en Fa dièse* chez Gabriel Fauré, et qui est pourtant spécifiquement ravélienne. L'harmonie avec ses pédales dissonantes, ses traits altérés, son chromatisme et même un soupçon de bitonalité, prélude parfois curieusement (p. 6) aux inventions de la *Péri* et de l'*Oiseau de feu*. Ce n'est pas d'ailleurs que *Jeux d'eau* ne porte sa date : il y a des redites, et plus de relâchement aussi que dans *Miroirs* ; ce deuxième sujet très doux

---

1. Lire dans *L'Esthétique de la grâce* de Raymond Bayer une analyse détaillée de la *Pavane*.

qui se pâme sur les touches noires, l'humeur dolente et languide d'un cœur d'automne dans le grand parc solitaire... voila sans doute un paysage bien décadent et crépusculaire pour l'auteur d'*Adélaïde* !

SAINTE

C'est pourtant ce même décor qu'il évoque dans sa première mélodie, SAINTE (1896), sur des paroles précieuses et quelque peu carlovingiennes de Stéphane Mallarmé. Voici une lente procession d'accords dont l'atmosphère rappelle (n'étaient les septièmes et neuvièmes de dominante) la Troisième « Prose lyrique » de Debussy, *De fleurs*, avec ses accords parfaits liturgiquement juxtaposés en plusieurs tons. Et comment ne pas penser encore à l'*Oraison* des *Serres chaudes* de Chausson, à la *Prière du mort* de Charles Kœchlin, au hiératisme rose-croix et « gothique » du premier Satie ? L' « ennui bleu » de Maeterlinck et l'« ennui vert » de Debussy se répondent. Entre les accords, chez Ravel, la voix psalmodie une espèce de litanie qui flotte rêveusement dans le registre médian et qui évoque, plutôt qu'Adélaïde, Clymène en son auréole ; tout cela fait assez « vitrail », avec pourtant une pointe d'ingénuité déjà ironique dans la ligne du chant. Qu'on ne s'y trompe pas. Cette Clymène-là signifie non point tant la langueur que l'énigme : un doigt sur la bouche, souriante et impassible... quelles surprises nous réserve-t-elle ? La neuvième non résolue, ouverte sur l'infini et sur nulle part, qui termine la mélodie, est la promesse de toutes ces surprises que le sphinx nous annonce. — Le jeu est devenu tout à fait apparent dans les deux charmantes ÉPIGRAMMES DE MAROT (1898), la première, *D'Anne qui me jecta de la neige*, évoquant les fastes

ÉPIGRAMMES DE MAROT

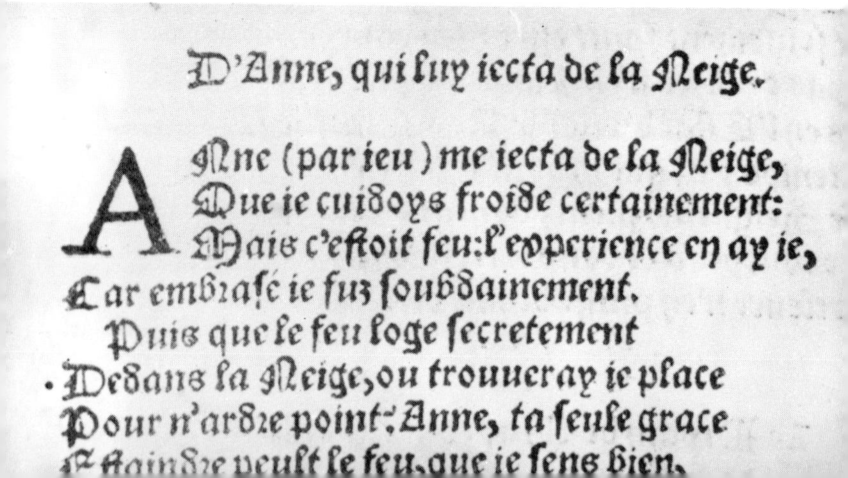

pompeux d'une cour de la Renaissance, la seconde surtout, *D'Anne jouant de l'Espinette*, avec ses graciles sonorités de clavecin : l'une, plus cérémonieuse peut-être, emploie le ton solennel et un peu fané de *Sol* dièse mineur (le relatif de *Si*) qui sera celui de la Deuxième Mélodie grecque ; et l'autre, gentille ritournelle, suit en *Do* dièse mineur « son petit bonhomme de train[1] », pour conclure assez curieusement sur ce même accord de *Sol* dièse, c'est-à-dire sur la dominante. On imagine la mystérieuse claveciniste de Vermeer dévidant sur l'épinette, de ses doigts agiles, le « bruyct doulx et melo-dieux ». — Par contre MANTEAU DE FLEURS (1903), tout cons- MANTEAU DE FLEURS tellé de dièses et de scintillements, revient à un milieu tonal plus épais, plus opulent et plus généreux. Certes Adélaïde parlera plus sobrement le langage des fleurs ! Qu'on en juge par cette fin sémillante, harmonieuse avec ses grands arpèges de harpe aux notes serrées à l'intérieur desquels vibre le sixième degré : la « sixte ajoutée », ainsi que chez Séverac, résonne dans l'épaisseur verticale de l'accord. La voix ici « chante » beaucoup et le ton de *Fa* dièse majeur enveloppe chaudement toutes les notes. Anne qui, jouant de l'épinette, nous faisait déjà entendre le Prélude du *Tombeau de Couperin*, Anne ne veut plus être frivole et se reprend elle-même au sérieux. Déjà on devine l' « Indifférent » de *Shéhérazade*.

SHÉHÉRAZADE (1903), sorte de poème symphonique pour SHÉHÉRAZADE chant et orchestre est une œuvre lyrique de plus longue haleine dont tout conspire, cependant, à dater l'écriture et l'esthétique : l'ivresse pérégrine du *Voyage d'Urien* en imprègne pour ainsi dire toutes les notes... A entendre cette déclamation sérieuse et si libre, si large, si chantée, qui croirait encore à la sécheresse de Ravel ? *Asie*, le premier des trois poèmes de *Shéhérazade*, et de beaucoup le plus long, se compose d'une succession d'épidoses variés encadrés entre un prélude et une réexposition : ces épisodes corres-pondent aux escales successives d'un bateau ivre, d'une « barque sur l'océan » qui accomplit son grand périple oriental ; les archipels et les mers exotiques défilent ainsi sous les yeux du nouveau Sadko. L'exorde débute par un niagara somp-tueux de septièmes majeures qui s'écroulent depuis l'aigu, parmi les bouillonnements de l'écume et les crépitements du phosphore, et vient aboutir à une sorte de barcarolle au-dessus

1. Arthur Hoerée, *Les Mélodies et l'œuvre lyrique*, in *Revue musicale*, numéro spécial consacré à Ravel, 1er avril 1925, p. 48.

de laquelle retentissent des sonneries lointaines qui sont comme l'appel du large et des promontoires fabuleux ; deux quintes tendent sous la caravelle du désir leur fond mouvant de consonantes dissonances ; puis voici tour à tour, dans le grave les sonorités mystiques de la *Damoiselle élue*, dans l'aigu, ponctuées par le célesta, des quintes et quartes en staccatos qui annoncent les chinoiseries de *Laideronnette* ; enfin, après un fortissimo qui s'empare de tout l'orchestre, l'écho des appels du début expire lentement dans une sorte de brouillard lumineux. Une idée commune semble visiter *Asie* et la *Flûte enchantée*, qui assure l'unité thématique de cette croisière rhapsodique[1]. Elle hantait déjà le Scherzo du *Quatuor*. — La *Flûte enchantée* est une délicieuse sérénade où Ravel laisse chanter l'instrument du dieu Pan, cette syrinx dont *Daphnis* nous contera la naissance, la flûte de Bilitis et du Faune, du « little Shepherd » et de la Fille aux cheveux de lin, de toutes les sveltes et liliales créatures du spleen symboliste. Ravel se plaira un jour à parler une langue plus incisive ; mais quelle souplesse déjà dans le contrepoint qui, au milieu de la pièce, confronte les roulades amoureuses au chant de la captive ! — A l'*Indifférent*, pour prendre congé, le ton de *Mi* majeur et les lentes batteries créent un milieu tonal plus voluptueux encore ; des lignes mélodiques très rapprochées, l'enchevêtrement des quintes et des quartes enveloppe ici la cantilène dans un lourd parfum de sensualité. — Telle est cette orientale chatoyante, mais sans ironie, où les captives n'ont pas encore appris la pudeur de leur sentiment. *Shéhérazade*, avec ses cataractes de petites notes, se montre à nous dès l'abord si mélodieuse, et toute parée de trilles, d'arpèges, de trémolos et de glissades... On dirait pourtant que les paroles de Tristan Klingsor « ... pour interrompre le conte avec art » réveillent en Ravel la mauvaise conscience de la facilité : en ce point le récit aux notes répétées s'infléchit pudiquement vers le bas et annonce déjà la mélopée du

---

1. Édit. piano et chant, p. 7 et 15 et p. 18-19.

Gravure de Ravel sur le dossier
d'une chaise à Montfort-l'Amaury.

Martin-Pêcheur[1]. Cette phrase surtout, qui chante dans l'*Indifférent* (p. 23-24), n'est-ce point un écho du *Quatuor* ?

Le QUATUOR A CORDES[2] en *Fa* majeur (1902) domine de sa jeune grâce toute la production de cette époque. Ravel commence donc par où les autres finissent — les autres : Franck, Chausson, Fauré, Smetana... La précocité de Ravel fait mentir l'aphorisme de Vincent d'Indy selon lequel le quatuor d'archets est nécessairement l'œuvre de l'âge mûr. Ravel avait 27 ans à l'époque du Quatuor ; et il est vrai que Debussy avait à peine dépassé la trentaine quand il écrivit le sien ; mais le Quatuor de Ravel est infiniment plus ravélien que le quatuor de Debussy n'est debussyste ! Le Quatuor de Ravel est un commencement, au lieu que le quatuor de Fauré en son austère blancheur est un terminus et une dernière pensée ; *opus ultimum*... Distinguons, dans l'ordre de leur apparition, neuf motifs principaux qui forment la substance mélodique du *Quatuor*. Une phrase ingénue et candide (A) monte d'un pas égal vers l'aigu — noires et croches toutes simples, toutes sages, accrochées à une seule gamme de quinze notes qui escalade deux octaves (de *fa* à *fa*) pendant les quatre premières mesures, puis, parvenue à la cinquième, sur un pianissimo subit redescend l'autre versant en *La* bémol et aboutit à l'accord de *Sol* mineur. Est-il rien de plus doux, de plus clair que ce ton de *Fa* majeur ? C'est bien la même atmosphère fine, déliée et presque mozartienne que dans le Capriccio des *Pièces brèves* de Gabriel Fauré ; les mêmes pianissimos impondérables ; la même tranquillité d'allure. Et c'est aussi la même limpidité d'écriture, la même polyphonie subtilement articulée que dans le délicieux *Second Quatuor* op. 10 en *La* majeur d'Alexandre Glazounov. Ah ! que cette poésie est tendre et quotidienne ! Toutefois — nous trompons-nous ? Il y a déjà une pointe d'atticisme derrière tant de juvénile candeur. Le jeu tient-il ici aux caprices un peu espiègles, de la ligne mélodique avec ses paliers et sa quarte *la-mi*, au redoublement ingénu de la deuxième note du thème A, ou encore à telle discontinuité tonale surprenante que ne laissait prévoir aucune modulation ? est-il plutôt l'effet de certaines répétitions et marches d'harmonie, des crescendos et decrescendos subits qui sont comme la respiration des

---

1. *Histoires naturelles* (aux mots : « est venu s'y poser »). *Shéhérazade* p. 15.
2. Cf. *les thèmes* p. 187.

phrases ? ou peut-être se révèle-t-il à cette idée expressive (B) et si imperceptiblement narquoise qui se prend à sourire dès la neuvième mesure à travers son harmonisation subtilement altérée ? En tout cas il y a bien dans ces délices une volonté du badinage extérieur, de l'amusement pour l'oreille. Le troisième thème, très expressif, se distingue par son triolet chantant comme le premier par son gruppetto caractéristique de deux croches au second temps ; et la suite du développement consiste surtout dans le débat de ces deux thèmes, C étant brodé par-dessus les premières notes de A, puis A par-dessus C ; deux fois de suite le contrepoint se renverse ainsi, et l'intervention de B, à son tour, conduit à un fortissimo très exalté qui amorce la réexposition et la coda. — Le Scherzo, sans avoir autant d'éclat que le Scherzo ibérique du *Quatuor* de Debussy, joue adroitement sur les équivoques rythmiques ; il expose trois thèmes dont les deux premiers (D et E) sont évidemment apparentés à C ; quant à F, l'espèce d'intermède lent qui sert de Trio le contrepointe d'abord à E et ensuite à D, en même temps que ses notes répétées trahissent sa fraternité profonde avec A. — Un Andante rêveur, au milieu duquel reparaît A, mais calmé, serein, mélancolique, développe à son tour deux motifs (G et H) en *Sol* bémol majeur ; A, entrelacé à une formule rythmique très énergique, hésite et tâtonne au début comme à la fin de l'Andante, dans une improvisation d'allure capricieuse. Après un moment d'exaltation passionnée qui annonce *Daphnis*[1], la « Doumka », de plus en plus grêle et lointaine, monte vers l'aigu pour y expirer doucement. — Le Finale, avec ses battements d'archets et son léger chromatisme, débute comme un Finale bien connu de Franck ; aux deux principaux thèmes du premier mouvement (A et C) et à leurs variantes, il ajoute un dernier motif (I) dont l'accent délicieusement ingénu annonce un peu la *Sonatine* et *Ma mère l'Oye*. Cette vélocité perpétuelle, ces doubles croches, ces trémolos d'octaves ainsi qu'une certaine préoccupation décorative, tout cela accentue l'impression du divertissement et le souci d'être superficiel qu'un Andante trop sentimental avait paru effacer. Le « Menuetto » de la charmante Sonatine de Joseph Jongen[2] se rappellera, en même temps que le Menuet de la *Sonatine* de Ravel, l'idée initiale du *Quatuor*...

---

1. *Daphnis* (piano seul) p. 33.
2. *Sonatine* (1929), II.

Avec Nijinsky à l'époque de Daphnis.

II. 1905-1918

La période incomparable qui s'étend de la *Sonatine* au *Tombeau de Couperin*, c'est-à-dire de 1905 à la guerre, ne correspond pas dans le style de Ravel à une évolution régulière et continue : par exemple l'*Introduction et allegro* pour harpe, qui est de 1906, retarde beaucoup sur la *Sonatine* et pourrait appartenir à l'époque de *Shéhérazade*; inversement les *Poèmes* de Mallarmé (1913) annoncent déjà le langage de l'après-guerre, et tout de même les *Valses nobles* (1910), pourtant antérieures au *Tombeau de Couperin* qui en revanche a l'air contemporain de la *Sonatine*... C'est que le *Quatuor*, dès 1902, représentait le coup de maître. Au lieu donc que Fauré progresse peu à peu et toujours dans le même sens, Ravel, magistral et infaillible à vingt-sept ans, va s'enrichir désormais au hasard des occasions.

L'œuvre vocale de Ravel, en ces dix années, comprend vingt-six mélodies parmi lesquelles des chœurs, une vocalise, des chansons populaires harmonisées et deux recueils, les

Histoires naturelles et les *Trois poèmes* de Mallarmé. Le NOËL
DES JOUETS (1905) est bien un peu compassé malgré ses
finesses d'écriture, malgré ses grêles sonorités, ses notes
répétées, son pianisme déjà ingénieux et l'ardeur lyrique
que les mots « Du haut de l'arbuste hiémal... » réveillent
soudain. — Avec cette crèche puérile les rafales pathétiques
des GRANDS VENTS VENUS D'OUTRE-MER (1906) forment un
saisissant contraste. Rien n'est particulièrement ravélien
dans ce poème orageux : ni le chromatisme tout romantique
de l'écriture, ni ces robustes basses concertantes si proches
par l'expression des *Poèmes de Baudelaire* de Debussy. La
mélodie débute comme un premier mouvement de sonate
et conclut par une neuvième au-dessus de laquelle se prélasse, ouvert sur le grand large et sur les horizons infinis de
la nostalgie, un *do* ♮ — sixième degré — qui renonce à se
résoudre dans la dominante. A Henri de Régnier les *Valses
nobles* demanderont un jour de tout autres prétextes — non
plus ce décor de houles grondantes, mais la notion d'un
plaisir délicieux bien abrité des tempêtes. — Et puis voici
(1906) les cinq HISTOIRES NATURELLES et leur jacassante
volière, leur carnaval des animaux, leur basse-cour toute pleine
de pépiements, de bavardages et de
plumes éparses : le *Paon* d'abord,
sorte de marche nuptiale dont le
rythme comiquement pompeux annonce déjà toute la majesté du Concerto pour la main gauche ; de leur
côté les accords qui font la roue, les
glissandos éblouissants, par mouvements contraires, sur les touches
noires, présagent l'*Heure espagnole*,
qui se trame dans le même temps.

*Dessin de Toulouse-Lautrec
pour les Histoires Naturelles.*

Au « léon » strident de ce noble volatile succède, dans le *Grillon*, un menu trottinement d'insecte. Avec ses quintes augmentées, neuvièmes, septièmes majeures, onzièmes harmoniques, le *Grillon* annonce à sa manière l'*Heure espagnole* ; qu'on en juge sur ces deux successions descendantes :

Le *sol* ♯ des grêles batteries altérées devient dominante dans le ton de *Ré* bémol majeur, et c'est aussi en ce ton que Ravel conclut, après une coda contemplative et rêveuse dont les nocturnes accords contrastent poétiquement avec les caprices du grillon ; les grands peupliers muets qui désignent la lune représentent ici la même suggestion verticale que naguère chez Fauré « les grands jets d'eau svelbres parmi les marbres ». — Atmosphère bien différente et, au début, tout impressionniste dans le *Cygne*. Ici les septolets de doubles croches, de fluides arpèges tout embués de vapeur et de pédale, le ton sémillant de *Si* majeur — tout compose à ce chant une sorte de brouillard lumineux qui rappelle *Shéhérazade* et les *Jeux d'eau*. Le Cygne de Fauré[1] glissant sur le clair bassin, remuera moins d'écume et de pierreries ! Les harmonies, chez Ravel, flottent comme de blancs nuages entre ciel et eau, sur des mesures souvent impaires où les septolets affrontent des basses binaires, auréolant les notes d'une espèce de brume floconneuse qui alanguit tous les contours. Mais comme à la fin du *Grillon* le badinage se taisait dans la paix nocturne d'un solennel accord parfait, ici, tout à l'inverse, c'est le persiflage qui étrangle les arabesques ondoyantes ; la liquidité des arpèges se dessèche ; de brefs accords méchants, dégoûtés, prosaïques, un récit incisif, des rythmes tranchants et secs lardent de leurs piqûres le nuage de pédale. — Le *Martin-Pêcheur* avec ses vastes agrégations aux notes serrées, ses étranges frôlements, évoque, dirait-on, quelque automne debussyste[2].

1. *Cygne sur l'eau* (*Mirages*, nº 1), 1919.
2. *Feuilles mortes* (*Préludes*, IIe Cahier).

Ici encore, pour la troisième fois, mûrit *L'Heure espagnole* :

Après cette églogue mystérieuse éclate en bombe, sur une fausse note, le caquet de la *Pintade* ; ces septièmes dissonantes rageusement abordées sans préparation (*sol* ♯ contre *sol* ♮, *la* ♮ contre *la* ♭), on sait qu'elles rempliront l'*Alborada* de leurs morsures. Ici les notes répétées, les staccatos agressifs, les mordants et les glissades fabriquent une sorte de turbulence aussi opposés à l'emphase du Paon qu'au tic-tac du Grillon.

A ces cinq silhouettes animales succèdent, en 1907, une sur l'herbe Fête galante et une Vocalise. Sur l'herbe est l'unique rencontre de Ravel avec un poète qui inspira à Debussy et à Fauré tant de divins accents. Ou c'est peut-être que l'Impair et l'abandon verlainiens convenaient mal à notre dur artisan ? Nous savons pourtant qu'il ne détestait pas Watteau, les menuets et les déjeuners sur l'herbe... Quoi qu'il en soit, sous les fades arpèges de mandoline, sous le décousu des propos galants, du libertinage et de la minauderie on sent une musique rigoureuse et parfaitement consciente de ses desseins. — A partir de 1907 Ravel commence à se renouveler par l'exotisme et par le folklore : cela est bien visible d'abord dans la vocalise Vocalise en forme de Habanera avec sa nostalgique et obsédante cantilène andalouse, presque contemporaine de la *Rhapsodie espagnole* et de *L'Heure espagnole* (dont le Quintette final déroulera les mêmes fioritures) ; ensuite et surtout dans l'harmonisation des Cinq mélodies grecques[1]. C'est d'abord

---

1. Auxquelles s'ajoute maintenant une 6e mélodie, posthume, (*Tripatos*) écrite pour Mlle Marguerite Babaïan qui voulut bien nous en montrer le manuscrit dès 1939.

la gracieuse *Chanson de la mariée*, avec son affublement harmo- CINQ MÉLODIES GRECQUES
nique si discret et subtil — de clairs battements d'octaves en
triolets de doubles croches, tendant à travers la chanson une
opiniâtre pédale de tonique ; *Là-bas vers l'Église*, merveille
de retenue et de sobriété, en sa robe mauve de *Sol* dièse
mineur ; la délicieuse *Chanson des cueilleuses de lentisques*,
toute parfumée par son *ré* ♯ hypolydien, par ses doux accents
et par l'insistance délicate d'une « sixte ajoutée ». Au charme
un peu mélancolique de ces trois chansons, *Quel galant m'est
comparable* oppose sa lumière plus crue et la franchise d'un
simple récit interrompu par une sorte de ritournelle paysanne
où l'on croit entendre glapir la voix aigre des fifres ; *Tout
gai* est d'un accent presque aussi direct avec ses couplets
symétriques et son rythme carré à 2/4 que vient alanguir par
places une mesure à 3/4 ; l'auteur de la *Joyeuse Marche*
n'aurait sans doute pas désavoué ce retour aux sources
vivantes de la joie ! — A la même veine il faut rattacher les
QUATRE CHANSONS POPULAIRES qui furent primées en 1910 QUATRE CHANSONS POPULAIRES
au Concours de la « Maison du Lied » à Moscou, et dont les
couplets monotones, la verdeur et la spontanéité trahissent
les origines folkloriques : la *Chanson espagnole* d'abord,
d'une saveur modale si prononcée ; en un genre où Ravel
a fait tellement mieux, prêtons pourtant l'oreille à ces petits
refrains de guitare qui paraissent écrits en *Ré* mineur et qui
ressemblent à des improvisations avec leurs accords aux notes
serrées, leurs arpèges nerveux, leurs timbres secs, leurs arides
staccatos ; *Chanson italienne* ensuite, qu'il est difficile de croire
que Ravel ait harmonisée sans sourire, tant la gravité romaine
de ce canzone est peu en accord avec la Pintade et tous les
oiseaux persifleurs ! *Do* mineur, le ton du pathos romantique...
Et que d'exagération aussi dans ce gruppetto pompeux de
triples croches, dans les cadences ultra-conventionnelles, dans
le véhément contraste des « piano » et des « forte » ! Pourtant
on ne saurait être plus concis : ce chant romain est vraiment
de la quintessence d'emphase, — le pathétique en sa plus
grande densité. La mélancolie espagnole et la grandiloquence
italienne font place, dans la *Chanson française*, à cette clarté
souveraine, à ce charme lumineux qui sont pour ainsi dire la
prose du cœur. Ici tout est ordre et ravissante légèreté ; aux
tons mineurs succède le *Do* majeur de tous les jours, *Do*
majeur transparent, amical et familier comme une après-
midi de demi-saison en province : quelques accords de quarte-
et-sixte, les intervalles les plus quotidiens, un calme mouve-

ment de valse ainsi qu'une fumée de petite ville qui monte tout droit dans le ciel blanc... il n'en faut pas davantage pour faire rêver à du Bellay, à La Fontaine et à de lointains souvenirs d'enfance. Le cœur se serre un peu à contempler, après ce tendre ciel de Loire, la violente couleur orientale de la *Chanson hébraïque* que vient interrompre, après chaque strophe, une sorte de psalmodie liturgique appuyée sur de solennels accords parfaits. — De cette chanson rapprochons les deux magnifiques MÉLODIES HÉBRAIQUES, qui datent de 1914 et que Madeleine Grey a rendu célèbres[1] : et d'abord le fervent *Kaddisch*, prière des morts, qui déroule, en *Do* mineur, sa cantilène pathétique sur une pédale de *sol* ; la prière s'enrichit de rapides accords brisés qui pourraient être de harpe, tandis que la voix, s'exaltant jusqu'au fanatisme, déclame ses vocalises extatiques par-dessus d'étranges agrégations. Détraquée, anxieuse et un peu cynique, l'*Énigme éternelle* boite de toutes ses dissonances (*la* ♯ et *ré* ♯ en *Mi* mineur) et oppose au hiératisme biblique la plébéienne gaucherie de son jargon yiddish... Par quel miracle de sympathie intuitive Ravel est-il entré si profondément dans ce mélange d'humour et d'amertume dont est faite l'anxiété juive ? — Quant aux TROIS CHANSONS pour chœur mixte (1915) elles se rattacheraient plutôt au décor de la chanson limousine. *Nicolette* n'est assurément pas une chanson triste, encore qu'elle soit un rien cynique : un « thème » suivi de trois « variations » — celle du Loup, celle du Page, gracieuse et aérienne, celle du riche Barbon (un cousin de don Iñigo, sans doute, et qui figurerait dans la galerie des vieux soupirants) nous conte les aventures du méchant petit Chaperon rouge ; on observera, au quatrième couplet, les dissonances comiques de la basse qui annoncent le vieux galant, aussi les changements d'allure capricieux accordés à la fantaisie primesautière du récit ; une note par syllabe en général, ainsi que dans les chansons populaires, et notamment dans la joyeuse *Ronde* qui fait dialoguer garçons et filles avec les vieilles et les vieux. Des trois musiques la plus raffinée sans doute, et ensemble la plus prophétique, est celle de *Trois beaux oiseaux du paradis*, exquise ballade toute pleine de tendresse et dont l'harmonisation impondérable, la transparence d'écriture, l'humble

MÉLODIES HÉBRAIQUES

TROIS CHANSONS

---

1. Les *Trois chants hébraïques* de Louis Aubert (1925), *Kol Nidrey* (en hébreu), l'émouvante *Berceuse* et *Der Rebele* (en yiddish), dédiés à Madeleine Grey, paraissent influencés par Ravel.

30

linéarité tranchent sur la pétulance un peu extérieure de la *Ronde* ; comme le *Paon* des *Histoires naturelles* annonçait *L'Heure espagnole* et son Iñigo Gomez, ainsi les Oiseaux du Paradis annoncent la parfaite nudité de *L'Enfant et les Sortilèges.*

— Et voici enfin, bien qu'il remonte à 1913, un recueil qui est plus encore que les *Beaux oiseaux du paradis* tourné vers le futur. Dans les TROIS POÈMES DE MALLARMÉ, écrits pour la voix et divers instruments (deux flûtes, deux clarinettes, quatuor à cordes et piano) perce ce goût de Ravel pour les petits ensembles de chambre, qui s'exprimera plus tard dans les *Chansons madécasses.* Des trois poèmes, *Soupir* est le plus « impressionniste », avec ses ruisselants arpèges de triples croches, visiblement apparentés aux septolets du *Cygne* : depuis 1901, l'année des *Jeux d'eau,* jusqu'à 1913 en passant par le *Cygne, Une barque sur l'Océan* (1906), *Ondine* (1908), et le Lever du jour de *Daphnis* (1911) se développe ainsi une même esthétique de la fluidité. La ligne mélodique pourtant a déjà quelque chose de clair, de dur et d'incisif qui ne trompe pas : la langueur décadente des années 90 est décidément liquidée. Cela est plus visible encore dans *Placet futile,* dont la galanterie précieuse rappellerait *Sur l'herbe* si la mélodie parfois ne mordait cruellement : ce progrès ne mesure-t-il pas, en quelque manière, tout l'intervalle qui sépare l'abandon voluptueux de Verlaine et la belle dureté de Mallarmé ? La musique aussi a maintenant des dents ; elle fait vibrer dans le troisième poème, *Surgi de la croupe et du bond,* des sonorités limpides et inclémentes que le registre aigu du clavier, les pédales dissonantes, les superpositions agressives de tonalités font plus étranges encore.

En cinq ans (1905-1910) Maurice Ravel a enrichi la littérature du piano de quelques-uns de ses chefs-d'œuvre les plus accomplis. La SONATINE, la première en date, est une exquise et divine réussite : « Sonatine » d'abord (comme celle de Roussel ou les six délicieuses Sonatines de Novak) par ses modestes dimensions — trois mouvements au lieu de quatre ; par son écriture surtout, qui est bien la même que celle des *Épigrammes* de Marot, volontairement grêle, et privée dans le grave, sauf à la fin du Menuet, de l'assiette puissante des basses. Un chant ingénu en *Fa* dièse mineur, traversant presque tout de suite l'accord de *Do* dièse, s'envole avec grâce sur des battements de triples croches qui palpitent dans ce ciel crépusculaire de *Fa* dièse. Pianissimos subits, colorations délicates et ravissantes ardeurs ! Au frémissement de la mélancolie se mêle, comme dans le *Quatuor*, une pointe de badinage, un sourire imperceptible : ce sourire, on le surprend dans les fines quintes sans pédale, dans la fausse naïveté de ces redites avec leurs accents délicats que le pouce gauche détache comme des sonneries, et jusque dans les tierces limpides de la fin[1]. Le Menuet en *Ré* bémol, où l'on a voulu reconnaître le « colloque sentimental » de deux ombres verlainiennes[2], oppose à cette douce animation sa sérénité plus pompeuse, plus solennelle. Par une coquetterie cyclique renouvelée du *Quatuor*, le divertissement final, écrit en style de toccata[3], fait revivre le chant ingénu du premier mouvement ; une réminiscence de ce chant traînait déjà dans les quelques mesures plus lentes qui servent de trio au Menuet ; il soulignera enfin cette descente scintillante d'accords parfaits majeurs juxtaposés en plusieurs tons au bout desquels rutilera, effervescent et vermeil, le ton de *Fa* dièse majeur. — Si la *Sonatine* s'apparente à la chaste ingénuité du *Quatuor*, les cinq images qui composent la suite intitulée MIROIRS (1906) se situent dans la ligne impressionniste des *Jeux d'eau*. Le beau livre d'images, et si puissamment poétique, si plein de rêve, avec ses marines, appels d'oiseaux, paysages brumeux et soupirs de guitare là-bas, dans la chaude nuit andalouse ! *Noctuelles* est le poème de la fluidité ; ici tout est fusion, glissement, liquéfaction ; sur le sol meuble des notes de passage, zigzaguent, d'un vol mou, les gros papillons du crépuscule, battant des ailes et errant comme des oiseaux aveugles dans l'air du soir. Rythmes défaits, sonorités tour à tour brumeuses et cristallines, et puis ces traînées laiteuses de chromatisme comme dans le *Waldesrauschen* de François Liszt... : ici tout se cherche et tâtonne et se fuit. Les traits pourtant sont déjà plus acides et luisants, l'industrie plus dure que dans *Jeux d'eau*. La mélancolie des *Oiseaux tristes* est sans doute d'une essence plus statique. Là tout était fuite, course et poursuite ; ici l'appel de l'oiseau traîne entre deux roulades, puis se prélasse en dissonance sur des basses mouvantes ;

---

1. Pour cette conclusion, comparez la *Belle et la Bête* (Partition de Ballet p. 23), *Une barque sur l'Océan* (Miroirs, p. 31), *Vocalise*, *Sur l'herbe*, *Prélude* pour piano.
2. A. Cortot, *Cours d'interprétation*, rédigé par Mme Jeanne Thieffry, p. 171.
3. Noter (p. 12) une phrase dont Gabriel Dupont se souviendra dans *La Maison dans les dunes*.

ce *mi* ♭ rêveur devenu passagèrement *ré* ♯, s'attardera ainsi jusqu'à la fin au-dessus des lignes multiples librement superposées ; l'écriture est aussi émiettée que celle de *Barque sur l'Océan* apparaît fluide et continue. Car voici maintenant l'éloge des arpèges : la ruisselante barcarolle, avec ses accords brisés sur lesquels flottent quintes, quartes et secondes, évoque la grande berceuse de l'océan et l'ondulation d'une barque qui monte et redescend dans les vallées liquides. Avec cette écriture pédalisée, très fondue, et, comme dans l'Allegro pour harpe, doucement enveloppée, la sécheresse de l'*Alborada del Gracioso* contraste violemment. Ici Ravel grave le trait dur et profond, et le brouillard de pédale se disperse, laissant à nu les mordants et les arides staccatos ; aux grandes lames, houles écumantes, rafales d'arpèges, succède le bref arpège de guitare. Distinguons ici : 1° le thème de danse proprement dit, en *Ré* mineur, qui dans la version orchestrale se divise entre les harpes et les cordes en pizzicatos, jouant à cache-cache avec lui-même ; dans ces imitations furtives, l'accentuation véritable se dérobe souvent ; 2° un motif protéiforme qui se réduit à un triolet de doubles croches, revêt toutes sortes de masques, se livre à toutes sortes de gambades ; 3° le solo expressif du récit (confié au premier basson dans la version instrumentale) qui coupe l'Aubade par le milieu et enroule ses sinueuses vocalises autour d'immenses agrégations aux notes pressées ; ce récitatif, comparable au trio d'un scherzo, joue le même rôle que la Tonadilla dans les pièces de Granados. A la fin le thème du récit martèle ses notes claironnantes au-dessous du motif principal en de cruelles dissonances. La dernière image en ce Miroir, la *Vallée des cloches*, est sans doute aussi la plus ancienne[1], comme on le devine à l'atmosphère bien romantique du décor, non moins qu'à ce chant si intensément lyrique, annonciateur de *Daphnis*, qui coule à pleins bords entre une double haie de secondes majeures. La *Vallée des cloches* est un hommage aux quartes ; voici revenue la pédale erratique des *Oiseaux tristes* — ici un *sol* ♯ suspendu à des rythmes dénoués, et autour duquel la main droite brode un dessin de quartes rêveuses ; sur ce fond brumeux émergent bientôt de douces dissonances —

---

1. Est-ce une nouvelle version de la 2ᵉ pièce des *Sites auriculaires*, « Entre cloches », restée inédite ? M. Cortot (*La Musique française de piano*, t. II, p. 36 et 27) l'affirme ; Roland-Manuel (*A la gloire de Ravel*, p. 42) le dément formellement.

mi ♮, *sol* ♯ — qui flottent et insistent et s'attardent comme des rumeurs lointaines au fond de la vallée ; et pour que rien ne manque à l'atmosphère « très Séverac » de ce poème, un cantique recueilli s'élève ensuite — accords parfaits de *Fa* ♯ autour desquels s'obstinent encore les quartes du début et qui montent doucement comme l'Angélus dans ce crépuscule immobile. Par opposition au dessin incisif de l'*Alborada*, cette *Vallée* ne trahit-elle pas une esthétique du flou que le Ravel de 1906 a déjà certainement liquidée ? — L'intervalle de 1906 à 1908 mesure toute la distance qui sépare le debussysme honteux des *Miroirs* et la langue profondément personnelle, l'éblouissante maîtrise de GASPARD DE LA NUIT : GASPARD DE LA NUIT *Ondine* — une effusion merveilleusement expressive qui s'épanche sous un trémolo bruissant de triples croches ; sept dièses à l'armure, et partout les giboulées d'arpèges... C'est la sirène qui chante dans le ruissellement innombrable des sources. Quelle force d'imagination, quelle précision surtout dans le trait et l'arpège, et quel progrès en robustesse depuis le temps lointain des *Jeux d'eau* ! La tension musculaire imposée par le pianisme d'*Ondine* ne se relâche que pour faire place à la tension nerveuse du *Gibet* : la cloche ne sonne plus ici l'angélus, comme dans la pacifique vallée des *Miroirs*, mais le glas lugubre des pendus « plus becquetés d'oiseaux que dés à coudre » ; des agrégations diaboliques ont pris la place des calmes concerts du soir, et la pédale flottante des *Oiseaux tristes*, à son tour, est devenue rigide comme une tringle. — *Scarbo*, le méchant gnome, fait pendant à *Ondine* ; après les mille gouttelettes, voici les gerbes d'étincelles : le dernier ruisselet ne s'est pas encore évaporé — et déjà une sorte de sécheresse électrique, des frissons de chat, des notes nerveusement répétées, de soudaines violences hérissent le Scherzo. Deux thèmes antagonistes se devinent, hésitants, dès l'improvisation du début, dans l'alternance de trois notes graves montantes (A) et d'un trémolo sur *ré* ♯ (B) — pédale de dominante qui grésille en frottement dissonant contre le *ré* et le *la* d'un accord appoggiaturé appartenant à *La* majeur. Le scherzo une fois amorcé, A, passionné, presque romantique monte et descend à grandes enjambées comme le lutin aux longues pattes maigres, tandis que B, sautillant et rageur, étrangle tout développement.

En réaction contre les complexités harmoniques et les riches accords de *Gaspard*, MA MÈRE L'OYE, écrit pour quatre mains en 1908 et transformé en ballet en 1912, marque un premier effort vers cette simple linéarité que rechercheront de plus en plus, en accord avec l'austère monodie de Satie, les œuvres de l'après-guerre. Les cinq piécettes qui composent la suite pour piano sont, dans la version instrumentale, précédées d'un *Prélude* et d'une *Danse du rouet* et entrelardées d'interludes. L'« ouverture », comme il se doit, nous présente une ébauche larvaire de tous les motifs de la partition : d'abord des quintes juxtaposées au-dessous desquelles retentit une sorte de minuscule fanfare qu'on peut appeler le thème des métamorphoses, car on le retrouve entre les divers tableaux et à la fin de l'Apothéose ; par-dessus ces quintes apparaissent d'abord une harmonisation altérée de la Pavane, puis le thème du Poucet, et enfin dans le grave, en traînée dissonante, le grognement de la Bête. Les sonneries du début, qui se font écho à distance de quarte, les appels qui se répondent canoniquement... tout cela compose une manière de cacophonie mélodieuse fort analogue au prélude de l'*Heure espagnole*. Après la *Danse du rouet* s'amorce, dans le grave, la *Pavane*, qui n'est point, celle-là, pour une infante défunte, mais pour une princesse endormie, dont un carillon intérieur berce doucement le sommeil séculaire.

Les lointaines sonorités de légende qui voilent cette berceuse tiennent-elles à la saveur toute grégorienne de ses cadences, à l'insistance discrète d'une pédale de *ré* — sous-dominante du ton de *La*, ou peut-être à la nudité des voix dialoguantes ? On ne sait trop à quoi rapporter le charme de cette cantilène aussi puérile que raffinée... La valse de la Belle apparaît ensuite, mais d'abord en croches et sur le rythme de 6/8 ; après divers trémolos et glissandos qui décorent cette invitation à la Valse, commencent les gracieux « Entretiens ». La Bête renâclante propose dans le grave son lourd triolet de croches[1]. Le thème de la Belle, strident, altéré par l'effroi, réapparaît à l'aigu, en *Fa* dièse,

1. Cf. F. Mompou, *Suburbis* II, p. 12.

*Costume de la Bête pour
Ma Mère l'Oye (L. Leyritz).*

par-dessus les mugissements galants de la Bête dont les déclarations se font de plus en plus passionnées, jusqu'au fortissimo où va se nouer le contrepoint de la réconciliation : le thème de la Bête, pacifié, brode son triolet avec aisance sous le chant de la Belle. Une grande glissade vers l'aigu... C'est l'enchantement qui prend fin : le sortilège tombe, tandis que s'espacent les parties ; le triolet chromatique, devenu triolet de Prince charmant, se pâme dans l'aigu puis cède la place au thème de la Belle alenti avant que d'amoureuses doubles croches ne le remplacent. Le thème du *Petit Poucet* se déclare ensuite : après divers prestiges d'orchestre — glissandos, trémolos, appels de cors, voici les tierces menues, toutes frêles, toutes sages qui tracent la piste des miettes de pain ; elles montent vers l'aigu en gammes de plus en plus longues comme des enfants égarés qui cheminent deux par deux en se tenant par la main et tâtonnent à la recherche de leur sentier. C'est la donnée du second acte de la charmante *Forêt bleue* de Louis Aubert. Que ce *Gradus ad Parnassum* est ingénu et poétique ! Les enfants ont à peine disparu dans la forêt qu'une cadence de harpe, suivie d'une cadence de célesta, inaugure le ballet des jeux baroques et des chinoiseries : tintinnabulant sur les touches noires, à l'exemple des *Pagodes* de Debussy, la Marche minuscule de *Laideronnette* a vraiment « l'air chinoâ » comme la Tyrolienne de Satie a l'air « très turc » ; la tasse à thé de l'*Enfant et les Sortilèges* un jour reparlera chinois avec autant de gentillesse ; l'intermezzo, en valeurs plus longues, se développe en imitations canoniques et laisse chanter un tendre mélisme où il n'est pas difficile de reconnaître la voix persuasive du *Quatuor*.

Un contrepoint ingénieux, pour conclure, brode sur ce chant expressif les grêles sonneries des Pagodes et Pagodines. Le thème des métamorphoses, retentissant pardessous une réminiscence de la Pavane, annonce le réveil de Florine la princesse au bois dormant. Tout est prêt désormais pour la transfiguration du *Jardin féerique* : Do majeur, nettoyé de ses altérations, comme la vie réelle des songes du sommeil, — *Do* majeur si grave, si simple, si noble, rayonne toute la calme gloire de cette apothéose ; des intervalles presque consonants, un chant affectueux dont Séverac saura se souvenir

38

sous les lauriers-roses[1]... et tandis que durant douze mesures résonnent le *do* et le *sol* de la péroraison, le sortilège se résout enfin en bénédiction dans l'embrasement triomphal des glissandos et des quintes fatidiques.

VALSES
NOBLES Les VALSES NOBLES ET SENTIMENTALES (1911) ont d'étranges duretés, quelque chose d'acide et de clair, de transparent et d'anguleux qui annonce bien l'époque des *Poèmes* de Mallarmé ; la valse, la plus passionnée et la plus expressive de toutes les danses, compose ici de précieuses figures de divertissement ; elle qui, chez François Liszt et Chopin, se chargeait de toutes les ardeurs de l'âme, voilà qu'elle nous découvre, cette tendre valse, des harmonies aiguës, toutes hérissées de stalactites et de fines aiguilles. La première Valse, franche et très énergique, s'installe carrément en *Sol* majeur sur une septième de dominante appoggiaturée où *mi* ♯ résonne âprement au lieu du *fa* ♯, tandis que *la* ♯, *do* ♯ et *ré* ♯[2], appartenant à un accord de *Fa* dièse majeur où vibrerait le sixième degré, forment « fausse note » avec le *ré* naturel de la basse. Pas de cérémonies, pas de prélude de petites notes ni de mesures pour rien. Conduite symétriquement, claire et impassible, cette valse annonce le Rigaudon du *Tombeau de Couperin* avec lequel elle a en commun les insistances, les clausules bien martelées qui ressemblent à des révérences, et même ces vastes agrégations de neuvième — accords de cinq notes composés de quatre tierces empilées. A la faveur des dissonances, de la septième majeure et de la note à côté il s'établit tout au long de ces pages une espèce de circulation électrique ; le ländler de Schubert — d'où cette valse paraît issue — grimace et se détraque derrière les rudes frottements. La première Valse était plus « noble » que sentimentale : la deuxième est plus « sentimentale » que noble : ce colloque sentimental d'Adélaïde et de Lorédan ne prolonge-t-il pas le duo d'amour de la Belle et de la Bête ? La troisième Valse, en *Mi* mineur (relatif du ton initial), est exquise entre toutes, et c'est un ravissement pour le pianiste que de redécouvrir sous le rideau des notes grêles, sous ce « langage des fleurs » la naïveté savante des Trois *Valses oubliées* de Liszt, mais aussi le charme « bergamasque » de Fauré. On sent que la troisième

---

1. Pour ce style Déodat, voy. aussi l'*Alborada* (*Miroirs*, p. 43 : à l'orchestre, arpège descendant de clarinette).
2. Pour l'interprétation de ces accords, cf. Roland-Manuel, *op. cit.*, p. 86, et Alfredo Casella, *L'Harmonie* in *Revue musicale*, numéro cité 1925), p. 36.

Valse et la subtile danse de Lyceion dans *Daphnis* sont presque contemporaines... Le numéro quatre fait beaucoup plus « Valse » avec sa vive allure ternaire, ses modulations imprévues, son dessin flexible et sinueux dont les septièmes majeures par moments font penser à un des *Saudades do Brazil* de Darius Milhaud. Le grand musicien liégeois Joseph Jongen se rappellera peut-être la quatrième Valse dans sa *Valse gracieuse*[1]. La cinquième (en *Mi* majeur) est une valse lente pleine d'insidieux frôlements. Leste et agile avec ses fluides appoggiatures, la sixième Valse (en *Do* majeur) décrit de grands ronds, monte et descend, s'alanguit par places et s'appuie sur des basses à contre-temps qui lui proposent l'équivoque de leur accentuation binaire[2] ; la version chorégraphique nous apprend ici qu'Adélaïde, digne cousine de Nicolette a dédaigné son doux ami pour les bijoux du duc. Mais tout va s'arranger et la septième Valse est celle des malentendus éclaircis : en guise de transition et aussi d'invitation à la valse, elle commence par un petit prélude en forme d'improvisation où expire peu à peu, sur une pédale de *do*, et en s'altérant trois fois, la clausule de la sixième Danse ; la valse démarre ensuite, qui tient des Valses-caprices de Gabriel Fauré sa gracieuse animation, sa tendresse passionnée et, dans les basses, la sournoiserie de ses accents... Aérienne, ravissante vivacité ! Quelle oreille musicienne méconnaîtrait ici la main gauche de Fauré et la légèreté de Debussy. Décidément « les fées sont d'exquises danseuses... » Certaines violences par instants présagent la grande *Valse* chorégraphique, et notamment ce fortissimo qui éclate après un crescendo irrésistible, au moment où sous les lustres on aperçoit enfin les couples tournoyants. Avec ces textes on confrontera, par curiosité, le début de la deuxième Valse romantique de Chabrier, qui parfois module capricieusement en *Mi* bémol. Pour faire jaillir des étincelles le musicien, en pleine valse, laisse grincer un petit intermezzo bitonal dont les stridences et la savoureuse âpreté ont dû épouvanter les auditeurs de 1911. Dans l'Épilogue traînent et s'effilochent les lambeaux épars des sept valses : la quatrième d'abord, puis la sixième (une fois en croches, une fois en doubles croches), la première deux fois, toute lointaine dans le grave, comme si les clairs

---

1. *Petite Suite pour piano* (1924), n° 4. Cf. Turina, op. 47, n° 5 *(Contes d'Espagne II, Promenade)*.

2. Dans la version d'orchestre les mesures à 3/4 sont jumelées, alternativement, selon les rythmes 3/2 et 6/4.

accords n'étaient plus qu'un chuchotement mystérieux ; la troisième, en *Do* mineur ; et finalement la seconde. Quelques battements d'ailes palpitent encore, de plus en plus las, dans la brume des grands accords, par-dessus une obsédante pédale de tonique ; *Sol* enfin expire à son tour comme *Fa* dans les *Entretiens de la Belle et de la Bête*, et il ne reste plus des folies de cette nuit, qu'un peu de rosée et l'aigre brouillard du matin.

L'œuvre de chambre de Ravel, entre 1905 et la guerre, se compose uniquement d'un Allegro pour harpe et petit ensemINTRODUCTIONble instrumental, et du sublime *Trio*. L'INTRODUCTION ETET ALLEGROALLEGRO, écrit pour harpe avec accompagnement de quatuor à cordes, flûte et clarinette (1906), nous ramène bien loin en arrière au style mélodieux, facile et brillant de *Manteau de fleurs*. Revoici donc, comme dans *Asie*, le déluge des arpèges ruisselants. Il est vrai que l'instrument y prêtait. Les harpes ont le glissando plutôt facile et ne sont point trop avares de leurs arpèges ; le trait lui-même cède volontiers à une sorte de sentimentalité molle que Ravel dédaignera bientôt pour des nourritures plus ingrates. Gracieux morceau de concert, au demeurant, bien digne de la séduisante Rhapsodie de Debussy pour clarinette en *si* ♭, avec ses sonorités cristallines et la liquidité ondulante de son virtuosisme. L'exorde, qui est une sorte d'improvisation rêveuse, propose deux motifs : A, en tierces majeures, suspendues, graciles, entre ciel et terre, et qui se meut par intervalles de quinte tour à tour montante et descendante ; exposé une deuxième fois un ton au-dessous, A fournira par la suite le thème d'une danse lente. B, qui se réduit dans l'introduction à de simples triolets de croches, fera les frais du développement central en *Sol* bémol ; dans le chant expressif qu'il déroule revit parfois un souvenir de l'*Indifférent* de Tristan Klingsor. C, qui n'intervient que plus tard, apparaît successivement brodé par-dessous et par-dessus B ralenti. Le développement atteint son apogée dans un grand solo de concert où la harpe chante pompeusement B, puis A parmi les glissades vertigineuses et les fusées. Ce solo amorce normalement la réexposition et le divertissement final, dont C et B exaltent par degrés la saltation. N'était l'harmonie toute consonante et diatonique de cette œuvre, on pourrait y prévoir par instants la jubilation bachique de *Daphnis*...

TRIOLe progrès est aussi grand du souriant *Quatuor* au TRIO (1914) que des *Miroirs* à *Gaspard*. Il est vrai que par son seul piano le *Trio* passe déjà en puissance symphonique le charmant et quadruple badinage des archets dans le *Quatuor à cordes.* Œuvre incomparablement plus tendue, plus éclatante aussi, plus volontaire : le radieux chef-d'œuvre de la maturité. L'intention constructive et cyclique y est aussi bien moins apparente que dans le *Quatuor.* Pas de thèmes communs aux quatre mouvements et sans cesse modifiés ou développés : les quatre parties sont indépendantes, et d'une exceptionnelle prodigalité mélodique. Sur une pédale de *mi,* dominante de *La* mineur, le piano, d'abord seul, et doublé ensuite par les cordes expose une impondérable chanson que son rythme ambigu et ses fins accords de trois notes rendent plus aérienne encore ; deux strophes — motif et contremotif — qui sont pour ainsi dire les deux versants de la chanson occupent ainsi douze mesures d'exorde. A module en *Fa,* s'altère et aboutit à un second thème (B) dont le rythme berceur et l'ingénuité câline rappellent la Pavane de la *Belle au Bois dormant* ; le violon en *La,* puis le violoncelle en *Ré* déroulent ce thème au bout duquel résonne à la main gauche, dans les notes graves du clavier, un écho assourdi de A : on dirait le pas étouffé d'une danse lointaine martelant la pelouse, dans la nuit, du feutre de ses sandales... Parfois les cordes se redoublent à deux octaves d'intervalle, et cet espacement crée de vraies sonorités orchestrales ; parfois elles échangent A avec la main gauche par-dessus les arpèges de la main droite. La réexposition, écourtée, amorce une sublime coda où l'on entend le premier thème, de plus en plus lointain et mystérieux, expirer peu à peu dans le ton de *Do,* relatif majeur du ton initial. L'éblouissant Pantoum[1] tient lieu ici de Scherzo. Trois thèmes essentiels — l'un aussi méchant que Scarbo avec ses notes répétées et ses cruels staccatos, l'autre presque romantique, et le troisième, brodé sur le premier en longues valeurs très expressives — se brisent l'un contre l'autre en un divertissement agressif où les accords fracassés, les dures insistances, les frottements incléments font jaillir plus d'une fois des gerbes d'étincelles. Par opposition à ces jeux, qui font pâlir les *Valses nobles,* la Passacaille, en guise de Largo, rappelle la noble gravité d'*Anne qui me jecta de la neige ;* un chant presque solennel s'amplifie et se propage peu à peu de la main gauche au violoncelle, puis au violon ; culmine au centre de la pièce où son gruppetto de deux doubles croches se détache forte-

---

1. Chez les Malais, déclamation chantée, accompagnée d'instruments. Se dit des poèmes tels que *Harmonie du soir* chez Baudelaire, où le 2e et le 4e vers de chaque strophe servent respectivement de 1er et de 3e vers à la strophe suivante.

ment après des cadences très « Ma mère l'oye » ; et se dénude progressivement jusqu'à retrouver la simplicité linéaire du récit initial. Après cet « hommage à Rameau », voici, pour servir de Final, un long thème de Ronde rythmé sur une mesure impaire et décoré d'un papillotement de trémolos lumineux. Ce thème joyeux aux deux versants symétriques s'interrompt pour laisser le piano entonner une sorte de péan triomphal autour duquel les cordes font scintiller un trille de *do* dièse. L'éclat somptueux de ces fanfares, et ces accords parfaits parallèles juxtaposés en plusieurs tons comme aussi la clarté du ton général de *La* majeur donnent finalement au *Trio* une violente couleur pittoresque dont l'exubérance contraste du tout au tout avec les demi-teintes du *Quatuor en* Fa.

Pour la première fois en 1907 Ravel aborde l'orchestre

directement avec la RHAPSODIE ESPAGNOLE. Un dessin

obsédant de quatre notes descendantes — *fa mi ré do* ♯ — au-dessous duquel flottent, en dissonance, de mystérieuses secondes exprime dans le *Prélude à la nuit* la lassitude d'une chaude fin de journée. Tous les « parfums de la nuit », comme dans l'*Iberia* de Debussy, toute la poésie fiévreuse que Manuel de Falla a respirée vers minuit aux jardins du Généralife ont mêlé ici leurs effluves et leur nocturne langueur. Pianissimos frissonnants, songe d'une nuit d'été ! et quelle poésie pénétrante dans cette cadence qui tournoie comme une toupie au fond de la nuit andalouse, dans cette grêle conclusion qui s'attarde indolemment sur le sixième degré ! — La *Malagueña*, danse ternaire de Malaga, qui sert ici de scherzo, est une pièce d'apparence rhapsodique, c'est-à-dire très fantasque et quelque peu décousue avec ses perpétuels changements d'allure ; on y distingue 1° une danse à 3/4 très rapide avec ses graves pizzicatos ; 2° un thème bien vite ralenti, en *Fa* dièse mineur (puis *Ré* dièse) dont les notes répétées ont des sonorités de guitare et les fraîches septièmes une saveur délicieusement acide ; 3° un voluptueux récit, comparable à la « Copla » de l'*Alborada*, et dont les triolets, tels les volutes d'une souple vocalise, alanguissent la *Malagueña* d'une effusion plus confidentielle ; 4° les quatre notes lunaires du Prélude qui flottent rêveusement entre la Copla et la preste conclusion. — On sait que la miraculeuse Habanera des *Sites auriculaires* (1895) sert d'andante à notre rhapsodie ; aujourd'hui encore on se lasserait difficilement d'admirer la grâce nostalgique de ces vastes accords brisés qui promettent une résolution en *Sol* ou en *Do*, se heurtent à une pédale fixe de dominante —

RHAPSODIE
ESPAGNOLE

do ♮, et puis *mi* en *La* majeur (relatif de *Fa* dièse), et refluent mollement en laissant un peu d'écume autour des notes. Le divertissement final, ou *Feria*, a peut-être influencé l'*Iberia* de Debussy, qui lui est à peine postérieure ; *Valence*, la troisième « Escale » de Jacques Ibert, se souviendra et d'*Iberia* et de la *Feria* ! Cette *Feria* utilise cinq rengaines populaires : A, qui prélude ; B, sautillant, scandé par le crépitement des castagnettes ; C, qui a l'air évadé d'un recueil d'Albeniz ; D, très catalan aussi, un peu forain, et qui beugle son refrain d'abord au-dessous de C, puis par-dessus ; E, qu'un orgue de barbarie semble moudre, puis qui glapit, strident, dans l'aigu au-dessus de D altéré. Un grand tutti où l'on distingue B en *Do* majeur et accords parfaits, puis A, secoue alors l'orchestre qui bondit de toutes ses cymbales. Une tonadilla, comme dans la Malagaise, vient interrompre la frénésie allègre de la danse : cet intermezzo[1], Valse lente en *Fa* ♮, déroule une cantilène très expressive qui descend à travers diverses insistances, portandos, notes répétées, et deux modulations successives jusqu'à sa tonique inférieure. Quelques lambeaux de la sérénade initiale reparaissent alors, influencés par les tierces de C, puis brodés sur B. Des accords passionnément altérés à la manière du *Trio* engagent le stretto final dont le nocturne, avec ses quatre notes nostalgiques découpées en fébriles triolets de croches, forme d'abord la basse et qui superpose en contrepoints capricieux des fragments empruntés à tous les thèmes de la *Rhapsodie*. La verve de Chabrier, mais aussi, reconnaissable à certaines altérations ou dissonances de la fin, un élément de tragique qui prophétise la *Valse* s'associent dans cette Feria foudroyante où la fureur et l'exaltation elles-mêmes obéissent au contrôle de l'esprit.

DAPHNIS ET CHLOÉ (1911), qui veut passer pour une « symphonie chorégraphique » est construit sur cinq thèmes

1. Cf. le Finale de la *Sonate* de violon de Debussy, p. 18-19.

Costume du chef des brigands de Daphnis et Chloé (Bakst).

essentiels : A, juché sur un échafaudage de six quintes,
lui sert en quelque sorte de frontispice et fait résonner par-
dessus le *la*, pédale de tonique, un *ré* ♯ obstinément dissonant ;
pendant ce temps les chœurs, derrière la scène, chantent B,
qui est comme l'appel de la nature. C, l'amoureux thème de
Daphnis, se détache presque tout de suite sur le même fond
vocal. Quant au thème de Chloé (D), le quatrième de la symphonie, il apparaît plus tard[1], sous la forme d'une valse gracieuse. E, sonnerie de trompettes, que l'on peut considérer
comme le thème des pirates, se déclare vers la fin de la première partie. Malgré la rigueur de ce plan thématique et
l'unité du ton de *La* majeur, *Daphnis* est bien composé comme
un ballet, c'est-à-dire comme une succession de danses que
relie le fil d'un argument conventionnel : danse religieuse,
quelque peu compassée et qui, avec ses redites, ses grands
arpèges, sa lente démarche, ressemble à toutes les danses
sacrées, à toutes les cantates d'école ; danses des jeunes filles,

---

1. P. 22 de l'édition de piano (le thème E apparaît p. 35).

Costumes de Daphnis et Chloé (Bakst).

puis des jeunes gens, mariées ensuite par le plus gracieux des
contrepoints ; danse grotesque du bouvier Dorcon, à laquelle
s'oppose la danse légère de Daphnis, en forme de barcarolle ;
ce tournoi se termine par l'apothéose de C qui, tout embrasé
du feu de ses sept dièses, rayonne glorieusement, comme dans
les duos d'opéra, à travers le nimbe d'or des chœurs à bouches
fermées. Une réexposition écourtée du prélude[1], une libre
cadence de clarinette, une réminiscence fugitive de la danse
de Daphnis et, dans les profondeurs, le thème C qui se pâme
annoncent Lyceion, la Salomé hellénique, et sa danse des
voiles : comment resterait-on insensible à ces septièmes
majeures, à cette tendre voix venue sans doute du *Quatuor*,
et déjà deux fois entendue, dans l'Indifférent de *Shéhérazade*
et dans l'intermezzo de *Laideronnette* ?

_____
1. P. 31 ; pour cette montée de quartes et quintes en triolets de croches,
cf. p. 3. Ces deux pages sont très debussystes.

Des trémolos inouïs au-dessus desquels A se déroule en superposition très dissonante suivent l'enlèvement de Chloé par les pirates et précèdent les étranges agrégations, les insolentes pédales de la danse des nymphes. La première partie du ballet se termine par un cœur a cappella assez tortueux dont B à contretemps forme l'arrière-plan tandis que des trompes derrière la scène font entendre E. Le deuxième tableau, qui représente le camp des pirates, s'ouvre sur une scène assez gwendolinienne où il ne serait pas trop difficile non plus de dépister un souvenir de Borodine ; dans cette marche barbare que domine, comme de juste, le thème E, on entend passer les clameurs des Vikings et des Polovtsi. En opposition avec ces bruits guerriers — cris farouches, cliquetis d'armes, sourds piétinements, rythmes de cavalcade — le troisième tableau est d'abord tout plein de nuit et de silence ; rien que le murmure liquide des ruisselets qui rient doucement dans les roches ; puis, à la première blancheur de l'aube, tandis que s'élèvent des concerts d'oiseaux et que les traits de flûte d'un berger, comme chez Debussy, arrivent du bord de l'horizon avec le petit vent du matin, un chant merveilleux, soutenu par B derrière la scène, monte des profondeurs de toute la nature et s'exalte irrésistiblement après que les deux thèmes de Chloé et de Daphnis se sont enfin rejoints[1]. La glose du berger Lammon, qui est l'une des pages les plus raffinées de Maurice Ravel, précède elle-même la parabole de Pan et de Syrinx : et comme Roussel nous contera la naissance de la lyre, ainsi Ravel chante, en *Fa* ♯, celle de la flûte sur un rythme de habanera dont les basses soutiennent une grande vocalise nostalgique de l'instrument ; de vastes accords appoggiaturés qui font mine à tout moment de se résoudre en *Sol* majeur, à tout moment viennent buter contre cette tonique et cette dominante opiniâtres. Le thème A, reparaissant dans sa tonalité initiale au milieu des appels grandioses de B pour signifier le serment de Daphnis, prélude à la bacchanale de la fin ; cette dernière, rutilante et dionysiaque avec, par éclairs, des lueurs d'acier qui rappellent la *Péri* ou l'*Oiseau de feu*, s'achève comme l'autre Feria, la Feria espagnole, dans la jubilation ordonnée de tous les rythmes.

L'HEURE ESPAGNOLE La musique de Ravel n'a abordé le théâtre que deux fois, et la première fois avec l'HEURE ESPAGNOLE en 1907. Trois

---

1. Comparez p. 80 et le premier mouvement du *Trio*.

L'Heure Espagnole

L'Heure espagnole, le brillant petit acte de M. Franc-Nohain, pour lequel M. Maurice Ravel écrivit une partition du plus curieux intérêt, peut se prévaloir justement d'une interprétation hors de pair. En effet, Mme VIX, étrange et troublant Zuloaga, a apporté dans la composition du rôle de Conception l'originalité précieuse qui la classe parmi les meilleures comédiennes lyriques de notre époque. M. Jean Périer, dont le talent multiple se plaît dans la variété, est toujours l'admirable chanteur et l'admirable acteur que chacun sait. MM. Delvoye, Coulomb et Cazeneuve contribuèrent certes pour beaucoup à la réussite de cet ouvrage très applaudi. Au milieu de la page : M. PÉRIER ; à gauche en haut : M. PÉRIER ; en bas : Mlle VIX ; à droite en haut : M. COULOMB ; en bas : M. DELVOYE.

motifs essentiels se partagent la conduite d'un discours qui, malgré un semblant de réexposition[1], est bien près d'atteindre l'extrême limite de l'émiettement et de la discontinuité : l'un, préludant sur une pédale de *mi*, et quelquefois au prix de rudes dissonances, en accords parallèles de quarte-et-sixte, n'est autre chose que le thème des horloges ; avec sa garniture de carillons, timbres et sonneries il exprime, comme dit Roland-Manuel, « l'âme de la boutique enchantée ». Le deuxième, qui fait très « boxeur », caractérise le muletier Ramiro : il pourra s'éparpiller, devenir ternaire comme une valse, s'alanguir par-dessus une pédale de tonique[2]..., jamais il ne perdra entièrement son allure sportive et ses rythmes musclés. Le troisième, présenté par quatre cors, est une espèce de marche noble qui souligne toutes les apparitions de don Iñigo, l'amoureux obèse. Cet Iñigo n'est-il pas une réincarnation du Paon des *Histoires naturelles* ? La conclusion avec son éblouissant quintette vocal, digne du Final burlesque de la *Farce du Cuvier* chez Gabriel Dupont, fait pendant au brouillard mélodieux du prélude : une habanera en *Sol* majeur qui comprend trois couplets, le troisième tout populaire d'accent, le deuxième en *Si* mineur, scande les vocalises vertigineuses des comédiens rangés face au public. Les horloges et le grotesque Iñigo Gomez de l'*Heure espagnole* revivront plus tard dans le merle et dans le Corregidor du *Tricorne*[3]. Certes il y a plus de verdeur populaire chez Falla, plus de subtil raffinement chez Ravel ; plus de poésie chez l'Andalou, plus d'humour et de cocasserie acide chez le Français : mais c'est que la farce tirée d'Alarcon sert d'argument à un ballet auquel la chorégraphie impose des répétitions toutes naturelles, tandis que le vaudeville de Franc-Nohain, avec son libertinage caustique est à l'origine d'une comédie musicale perpétuellement hachée par le dialogue ; le *Tricorne* se danse et se mime, au lieu que l'*Heure espagnole* se chante... C'est pourtant Ravel qui a montré le chemin à Manuel de Falla.

---

1. P. 72 de la partition piano et chant.
2. P. 48-49 (pédale de *la*) et 70-71 (pédale de *fa* ♯).
3. Comparez *El Sombrero* p. 11 (piano seul) et la petite valse de *L'Heure espagnole*, p. 88. De même : *El Sombrero*, p. 24-25 (gamme descendante d'accords de quarte-et-sixte parallèles) et *L'Heure espagnole* p. 88, 91 (p. et ch.)

*Avec Hélène Jourdan-Morhange et Ricardo Vinès
sur la plage de Saint-Jean-de-Luz (1923).*

III. 1918-1937

L'après-guerre, pas plus que l'avant-guerre, ne marque dans la carrière de Ravel une évolution rectiligne : c'est ainsi qu'au milieu des duretés toujours plus agressives de l'écriture, les trois chansons intitulées *Don Quichotte à Dulcinée*, et le *Boléro*, et les *Concertos* (surtout le concerto manchot), représentent en quelque mesure un retour à l'indulgence. Il arrive ainsi qu'à la fin d'une vie scrupuleuse de plus en plus tendue par le refus de toute concession l'artiste s'attarde quelques instants dans les oasis de la complaisance. Ce sont là les harmonies du soir. Dans la discipline toujours plus austère que s'impose le dernier Fauré, la *Douzième Barcarolle en Mi ♭ majeur* et le *Quatrième Prélude en* Fa représentent ainsi des moments de délicieux abandon... Même le cruel Debussy des *Épigraphes* et des *Douze Études*, il arrive qu'il se laisse amollir par de doux souvenirs de jeunesse. Humain, trop humain Debussy ! Ravel, plus encore que Fauré, a connu ces délicieuses défaites de la volonté.

Et pourtant on ne peut nier que les œuvres postérieures à 1918, dans leur ensemble, y compris le clair *Concerto en* Sol *majeur*, si aéré, si limpide, n'expriment à leur manière ce retour à la simplicité que prêche le dernier Bergson. Ravel réagit à présent non pas contre les seules complications d'écriture de l'école d'indyste, que déjà la *Sonatine*, la *Chanson limousine* et le *Petit Poucet* répudiaient, mais contre ses propres subtilités harmoniques. Et d'abord il renonce aux basses puissantes des *Grands vents d'outre-mer* : le chant de la *Sonate* de violon et l'*Épitaphe* de Ronsard flottent en l'air sans l'assiette profonde d'un accompagnement bien calé dans le grave. On dira qu'ici encore *Laideronnette* montrait le chemin ; mais ce que *Ma mère l'oye* obtenait à force de savante puérilité devient à présent la diète normale du musicien. Les généreuses tonalités — le *Fa* dièse majeur de *Manteau de fleurs* et de *Laideronnette*, le *Do* dièse majeur d'*Ondine*, font place aux tons les plus ascétiques : *Mi* mineur surtout, le *Mi* bleuâtre des dernières œuvres de Fauré, comme dans le *Tombeau de Couperin*, et son relatif *Sol* majeur (l'*Enfant et les Sortilèges, Concerto, Sonate* de violon, *Berceuse* sur le nom de Fauré, *Chanson à boire, Menuet* du Tombeau), aussi le couple *La* mineur-*Do* majeur (*Duo* pour violon et violoncelle), déjà présent dans la *Pavane* et le *Jardin féerique* qui encadrent *Ma mère l'oye*. A la glaise obéissante, colorée et déjà toute mélodieuse où l'on enfonce sans résistance, Ravel préfère maintenant l'acier dur et froid. Mieux encore — Ravel réprime héroïquement en lui ce goût de la sonorité pleine, riche, vibrante et vraiment instrumentale qui est si visible dans le Finale du *Trio* ou dans la *Rhapsodie espagnole* : témoin l'*Enfant et les Sortilèges* et l'air de la Princesse, arabesque parfaitement nue, contrepointée à une cantilène de flûte ; les deux voix, ainsi que dans *Rêves* ou dans la Fugue du *Tombeau de Couperin*, cheminent entre ciel et terre ; au cours de ce badinage aérien il arrive, la ligne inférieure passant par-dessus l'autre, que des nodosités, des unissons acides, de rudes frottements se produisent — et de là toutes les duretés de la *Sonate en duo*, toute l'humble linéarité de *Nahandove* et de la troisième Chanson madécasse. On dirait que le goût de la monodie horizontale, de l'écriture filiforme et du contrepoint à deux parties, chez Ravel comme chez Satie, correspond à ce « retour au dessin » que Cocteau prêcha après la guerre et que Guillaume Apollinaire, pour sa part, saluait avec joie chez Matisse. Déjà les *Trois beaux oiseaux du Paradis* et aussi *Nicolette*, dont le fil peu à peu s'amincit jusqu'à n'être plus qu'un point, — une tonique, annonçaient cet effilement de la mélodie ; rappelons-nous encore la *Passacaille* du *Trio*, et cette *Berceuse* sur le nom de Fauré où l'on voit les portées se vider des agrégats de notes et des accords complexes qui les garnissaient, la cantilène se dénuder et peu à peu retrouver l'austérité linéaire du début ; les harmonies, à la manière russe, rejoignent souvent l'unisson. Ce fut dans *Ondine* une minute bien solennelle que celle où, la symphonie innombrable des arpèges et des sources s'étant tue, la voix de la fée émergea toute seule, toute frêle au milieu du silence. C'est la voix même qui s'élève à l'aube au début de la troisième partie de *Daphnis* confondue avec les concerts d'oiseaux et le murmure des ruisselets. Au Ravel économe des dernières années de perpétuer cette voix d'Ondine, ce récitatif de l'âme, ce solo parmi le silence.

Ce dénuement du discours, cette résistance à l'inflation harmonique caractérisent aussi l'évolution de Fauré. Mais outre que Fauré n'a jamais renoncé au moelleux velours des notes graves, il semble, en se dépouillant, suivre un rêve tout intérieur. Ravel, plus nerveux, plus agressif, joue avec le scandale et les rugueux frôlements ; la provocante bitonalité est chez lui une sorte de défi. Il est vrai que Ravel a subi des influences qui glissèrent sur Fauré sans même l'effleurer ; plus jeune, il a été aussi plus mêlé à cette fièvre de l'après-guerre — érotisme, sport, neurasthénie, religion des machines — qui à aucun moment n'avait troublé la sérénité olympienne de Fauré ; et l'on se demande comment cette vertigineuse modernité, qui a creusé tous les tourbillons de la *Valse chorégraphique*, a pu tracer si peu de rides sur le visage du *Quatuor* de 1924. Ensuite Ravel a été attiré par les recherches abstraites de Schœnberg, et les *Trois poèmes* de Mallarmé témoignent que cette curiosité date encore d'avant la guerre de 1914 ; de là peut-être ce goût croissant pour les petits ensembles instrumentaux, auquel nous devons les *Trois poèmes* et les *Chansons madécasses*, mais aussi les *Berceuses du Chat* et les *Pribaoutki* de Stravinski, et jusqu'à l'*Histoire du soldat*. Il existe dès la Première *Valse* noble une tendance des basses à grimper par intervalles de quarte, tendance de plus en plus visible dans la Troisième *Chanson madécasse*, et surtout dans l'Andante de la *Sonate en duo*, où la tonalité finit par sombrer complètement. Ravel avait l'ouïe trop voluptueuse et l'esprit trop hostile aux systèmes pour s'enfermer définitivement dans un parti pris d'austérité et d'anti-hédonisme. C'est la curiosité inlassable d'un dégustateur avide de tout essayer qui l'avait, dès 1913, rapproché de *Pierrot lunaire* : en sorte que la polytonalité elle-même est pour lui une possibilité inédite et particulièrement subtile d'agrément. Schœnberg en somme l'a intéressé au même titre que Gershwin. Car cette même gourmandise de nouveauté l'a porté aussi vers le music-hall et le jazz ; il a sûrement fait ses délices de la musique négro-américaine, comme le prouvent les fox et bostons de *L'Enfant et les Sortilèges*, et ces battements binaires dignes du Weill de *Mahagonny*, et enfin les blues nostalgiques qui servent d'andante à la *Sonate* pour piano et violon. Le Final de la *Sonate en* Sol *mineur* de Debussy avait éprouvé cette attirance, sans laquelle *Parade* de Satie, les *Rag-Caprices* de Milhaud, le *Rag-time* et le *Piano Rag-music* de Stravinski ne seraient pas.

L'œuvre pianistique de Ravel, pour ces années d'après-guerre, se réduit au TOMBEAU DE COUPERIN (1917) et aux deux *Concertos* (1932). Le *Tombeau*, composé en forme de suite, s'ouvre par un délicieux Prélude aux triolets tourbillonnants. La Fugue est un grêle badinage dont le sujet apparaît en *Mi* à la main droite, puis à la main gauche en *Si*, une quarte au-dessous, ensuite se contrepointe à un contre-sujet qu'on reconnaît à son triolet de croches. Les deux voix s'affrontent, bavardent, se renversent, atteignent une fois le grave, et puis, après divers jeux, le plaisant dialogue expire dans le registre médian du clavier. La mélancolique et noble Forlane, avec ses altérations dissonantes, ressemble à une berceuse dont les ondulations relient entre eux trois intermèdes et qui s'achève sur une coda fort inclémente. Le *Do* majeur du Rigaudon, très carré, bien sonore, contraste fort agréablement avec cette noblesse fanée ; on remarquera la brusquerie des cadences qui amènent inopinément la résolution en *Do* au moment où la danse paraissait devoir conclure sur *Sol* ou *Fa* ; la grâce rustique de l'intermède qui tient lieu ici de trio interrompt un instant le Rigaudon. Le gracieux Menuet s'exalte dans sa « musette », jusqu'à un fortissimo presque pathétique, puis brode le plus joliment du monde par-dessous le thème du Menuet les accords parfaits d'une musette devenue majeure ; le Menuet bifurque finalement vers une coda bien sage qui n'est pas sans rapport avec la grâce du premier Debussy. Le trille brumeux sur lequel la danse s'éteint fait pendant au long trémolo final du Prélude qui était pour ainsi dire l'ultime tournoiement des triolets immobilisés : les triolets ronflent et vibrent sur place comme des lames de diapason[1]. La bruissante *Toccata* reproduit un certain nombre des difficultés techniques de *Scarbo* — notes répétées, tierces alternées, collaboration intime des deux mains ; pianisme très martelé, éblouissant et limpide, moins imaginatif peut-être que celui de *Scarbo*. — Les deux Concertos[2], quoique contemporains (1931), sont de caractères fort différents, et cependant le CONCERTO EN SOL, malgré les apparences, n'est pas plus « ravélien » que le CONCERTO EN RÉ ; la vérité est que celui-ci, par la limitation paradoxale qu'il s'impose, devait donner plus de prix à une démonstration de puissance : et de là son caractère décoratif, presque grandiose, et en tous points opposé à la jubilation exubérante du Concerto en *Sol*. Le Concerto en *Ré*, bien qu'on y puisse facilement distinguer andante, scherzo et finale, se joue sans interruption en un seul mouvement fait de mouvements enchaînés. Il commence dans les notes graves de l'orchestre, par un brouhaha confus de quartes en sextolets au-dessus desquelles, comme la Valse dans le poème de 1919, une sorte de Marche majestueuse s'élève lentement. Et le Concerto pour les deux mains, au contraire, débute directement dans les régions aiguës, les plus limpides, les plus lumineuses, du clavier et de l'orchestre ; car ici le piano concerte dès la première mesure : au lieu du mystère des basses, des tâtonnements de l'improvisation, on entend à travers les arpèges bitonaux du clavier une espèce de chanson allègre et presque populaire. Dans le Concerto en *Ré* la main gauche solo, après une entrée foudroyante, rythme solennellement la Marche triomphale du prélude (la sarabande, dit Goldbeck) et aligne des accords qui composent à notre Concerto, en guise de portique, une espèce de colonnade monumentale ; l'orchestre, en tutti, reprend alors ce péan que soulève un souffle d'inspiration irrésistible. L'Andante, comprimé et réduit à l'état d'intermezzo dans une symphonie continue, ne réussit pas à s'épancher aussi largement que l'Andante en *Mi* majeur de l'autre Concerto : ici le piano chante un lied admirable, sereine et longue effusion que l'orchestre reprendra ensuite, accompagné pianissimo par des traits de triples croches qui montent et descendent sur le clavier comme une

CONCERTO EN SOL

CONCERTO EN RÉ

---

1. Cf. Ernesto Halffter, *Sonatina*, p. 38 (piano seul).
2. Voy. l'étude de Fr. Goldbeck, *Sur Ravel et ses concertos*, *Revue musicale*, 1933, p. 193-200.

pluie tiède, égale et tranquille. Le Concerto en *Sol*, qui n'a que trois mouvements, d'ailleurs fort disparates, se termine par un claironnant Rondo, au lieu que le Concerto en *Ré* comporte encore une espèce de scherzo chorégraphique où il y a des soupirs de rag-time, et une fondamentale obsédante, et maints divertissements rythmiques. Tout cela un peu extérieur parfois, mais sonnant clair et dur.

RONSARD
A SON AME

RÊVES

CHANSONS
MADÉCASSES

L'œuvre vocale de l'après-guerre comprend RONSARD A SON AME, véritable épigraphe antique (1924) et, sur un texte de Fargue, RÊVES, qui fait penser aux proses lyriques de Debussy, aux dimanches de Laforgue et à la *Gare Saint-Lazare* de Claude Monet, une mélodie assez déroutante avec son apparence de sagesse et, à la fin, le rude *do* ♯ bitonal de ses basses. — Mais surtout les CHANSONS MADÉCASSES, créées par Madeleine Grey en 1925, sont l'œuvre caractéristique de l'après-guerre comme les *Histoires naturelles* dominaient la production de l'époque impressionniste. L'ensemble instrumental est plus ascétique encore que celui des *Poèmes* de Mallarmé puisqu'il n'y a qu'une flûte au lieu de deux, pas de clarinettes du tout, et un violoncelle pour tout quatuor. Ce cycle est vraiment le recueil de la nudité exemplaire : la voix chante à peine, et son récitatif paraît quelquefois étrangement indifférent aux paroles déclamées ; l'indépendance apparente des lignes superposées n'exclut pas d'ailleurs,

Les habitants de Madagascar (gravure du XVIIIe).

Lithographie de Luc-Albert Moreau pour les Chansons Madécasses.

l'ajustement exact de la voix aux rythmes d'accompagne-ment[1]. Dans *Nahandove*, nocturne d'amour, on remarque d'abord un rythme de berceuse dont la quarte et l'obsédante septième paraissent hanter toutes les dernières œuvres de Ravel[2] — *Rêves, L'Enfant et les Sortilèges* où elles sont tantôt anxieuses, tantôt naïves, la *Sonate* de violon ;

Rêves   *Nahandove*   *Sonate*   *L'Enfant et les Sortilèges*

puis des rythmes haletants, ponctués de duretés ; et de nou-veau la pudique berceuse, à peine émue par les langueurs du texte. Quant au second poème, *Aoua*, ce n'est qu'un cri — cri rauque, farouche, dissonant qui fait parfois penser aux cla-meurs déchirantes de *Pierrot lunaire* ; tout ici serre le cœur — la cruelle bitonalité, et les rythmes menaçants, et ces basses autour desquelles rôde l'angoisse mortelle. Après ces hur-lements la troisième chanson déroule une svelte cantilène de flûte qui progresse très librement par intervalles de quarte et aboutit à un calme nocturne en *Ré* bémol majeur ; aux

1. P. 4-5 de l'édit. piano et chant, remarquez les quintes entassées comme dans l'Épitaphe de Ronsard.
2. *Chansons madécasses*, édit. piano et chant, p. 6 (et 14) ; *Rêves, L'Enfant et les Sortilèges*, p. 25 et 93-97 ; *Sonate* de violon, p. 3, 6, 9 (et 22) et les chants du rossignol et de la chouette dans *L'Enfant et les Sortilèges*, p. 64.

bruits de la guerre ont succédé la sieste pacifique, la grande paix du soir, les humbles occupations de tous les jours. Cette méridienne qui s'achève au crépuscule rejoint ainsi le nocturne austral du début et clôt admirablement le triptyque des *Madécasses*. En opposition avec le raffinement des *Madécasses*, les trois chansons de DON QUICHOTTE A DULCINÉE (1934), écrites sur des paroles assez prétentieuses, sont d'un accent plus populaire et d'une étoffe assurément

DON QUICHOTTE A DULCINÉE plus mince ; dans la *Chanson romantique* et la *Chanson à boire* on réentend sans déplaisir la ritournelle de Gonzalve, le nigaud amoureux de l'*Heure espagnole* : « Harpes, chantez, éclatez, salves! »... Mais où sont les ruisselantes appoggiatures de 1907 ? La *Chanson épique*, un peu compassée, affecte l'allure d'un cantique. L'agréable *Chanson à boire*, dans sa vulgarité concertée, évoque simultanément Chabrier et la *Dixième Danse espagnole* de Granados ; avec sa ritournelle d'accords parfaits alternés, ses fioritures renouvelées de la coda du *Boléro*[1], sa modulation bon enfant en *Do* majeur et ses symétries strophiques, ce toast brise radicalement avec le maniérisme harmonique de *Placet futile*.

L'œuvre instrumentale du dernier Ravel comprend deux sonates qui marquent une étape essentielle de son développement. Mais citons auparavant des œuvres de moindre importance : et d'abord une subtile BERCEUSE sur le nom de Fauré (1922), qui n'est « berceuse », à vrai dire, que par un thème subalterne joué en général dans l'aigu par le violon tandis que la main gauche marque en *Do* ou en *Sol* les douze notes de Gabriel Fauré et la main droite des accords bitonaux ou de dissonantes septièmes majeures ; à la fin le piano privé de basses et accompagné au violon par de simples secon-

BERCEUSE

---

1. Cf. Turina, *Tres Arias*, III *(Rima)*.

des oscillantes, joue le thème imposé avec une sorte de candeur enfantine... et la berceuse s'éteint sur des fausses notes doucement sonores — *fa* ♯ ou *mi* ♭ vibrant par-dessus la tonique *Sol*. — En bonne rhapsodie qu'elle est, TZIGANE, TZIGANE originairement écrite pour violon et luthéal (1924), apparaît comme un chapelet de variations successives juxtaposées sans développement. Après un grand préambule de concert (Lassan) où le violon se livre à découvert à divers exercices de haute école — traits, notes piquées, trilles et mordants, une cadence foudroyante du luthéal amorce la série traditionnelle des improvisations tziganes — Friska, Csardas. Le récitatif du violon solo expose tour à tour un thème lent, solennel et pompeux, qui a une violente couleur tzigane, et un autre plus expressif, plus dansant qui s'installe en *Si* ♭ mineur. Ce récit, dont les valeurs très inégales vont de la blanche à la triple croche, s'interrompt pour laisser chanter l'inévitable Rubato, phrase plus tendre qui d'ailleurs s'énerve bientôt et dégénère en fiévreuses vocalises. Sur la fin la rhapsodie s'impatiente et traverse fébrilement toutes sortes de tonalités successives sans en retenir aucune ; les ornements tziganes — gruppettos de petites notes, trilles stridents de seconde mineure — et aussi les dures dissonances composent à ce strette la parure la plus éclatante qui se puisse imaginer.
— Le DUO en forme de Sonate pour violon et violoncelle DUO (1920) est peut-être la réussite la plus exceptionnelle de notre musicien. Distinguons pour le premier mouvement quatre motifs principaux : A, arpège qui est présenté par le violon et qui, se répétant par huit fois comme un motif de berceuse, devient assez vite simple ornement ou accompagnement décoratif. Sur ce motif le violoncelle brode en *La* (puis le violon en *Ré*, à la quarte supérieure), et dès la sixième mesure, un contre-motif B dont la fausse ingénuité n'est pas sans rappeler *Ma mère l'oye*. Le troisième motif apparaît en noires égales au violon (C), et le quatrième, en *Si* mineur (D), évoque ces vieilles rondes françaises dont l'allégresse illumine l'œuvre de M. Poulenc. De B procèdent plusieurs motifs subalternes. D par exemple, qui est nettement atonal. Les contrepoints se renversent sans cesse entre les deux voix, tandis qu'en se répétant les quatre thèmes paraissent dessiner des figures de danse. Le Scherzo, sorte de jeu agressif comme le Pantoum du *Trio* et l'intermède du *Concerto* pour la main gauche, mais en plus nu et acide, expose un premier thème A qui n'est autre que l'ébauche de A, joué en noires pizzicato par

les deux instruments alternés ; B′, comme D, ressemble à une ronde populaire. Comme la Passacaille du *Trio* s'élevait des notes graves du clavier, ainsi l'Adagio de la Sonate monte des profondeurs du violoncelle qui repasse au violon une oraison toute recueillie dans la grisaille austère de *La* mineur ; le motif atonal du premier mouvement reparaît ensuite avec ses intraitables mouvements de septième majeure[1]. L'Adagio réexpose finalement sa mélopée sur des batteries mélancoliques du violoncelle, et la méditation s'achève dans le mystère des basses en mouvement de quarte. Le Finale met en œuvre, outre les motifs accessoires, trois thèmes nouveaux : A″, énergiquement rythmé au violoncelle, et qui s'élève peu à peu d'octave en octave. B″ se présente à contretemps, porté par un trille du violoncelle ; et C″, joué en *Fa* ♯ de la pointe d'archet du violoncelle, puis accompagné par des trémolos de septième majeure, est lui aussi une « joyeuse marche ». Le violon le reprend ensuite en *La*, supportée par le violoncelle en trémolos d'accords parfaits chromatiquement descendants, et finalement la brode sur A″. Deux thèmes anciens reparaissent dans ce Finale : A d'abord, dont violoncelle et violon se renvoient canoniquement les échos ; ensuite le thème atonal du premier mouvement, que le violoncelle contrepointe méchamment à la seconde moitié de C″. — Tandis que la *Sonate* en *La* mineur, avec deux archets, réussissait à créer une impression de grouillement luxuriant et de plénitude polyphonique, la SONATE EN SOL MAJEUR[2], avec un clavier, affecte au contraire le plus parfait dépouillement. Hélène Jourdan-Morhange est sa dédicataire et sa créatrice.

SONATE
EN SOL

---

1. Voir l'analyse de Florent Schmitt dans le *Temps* du 22 janvier 1938.
2 Cf. *les thèmes* p. 187.

Sur un long rythme à 6/8-9/8 le piano chante d'abord A, thème pastoral en *Sol* majeur repris ensuite par le violon à la quinte supérieure par-dessus des battements d'octave du piano ; au-dessous des *si* ♭ de la main droite, la main gauche marque alors B, qui se distingue par ses staccatos en notes répétées. Voici ensuite les quintes austères de l'*Épitaphe* de Ronsard et de l'*Enfant et les Sortilèges* (p. 84), soutenant un troisième thème (C) très expressif. D, en accords parfaits plus solennels juxtaposés par le piano, E, longuement chanté par le violon après la réexposition compléteront la table thématique de ce premier mouvement où revit le duo si souverainement simple de l'Enfant et de la Fée et qui s'évapore pour finir dans un badinage gracile privé du soutien des basses. Des « Blues » nostalgiques servent d'andante, et un « Perpetuum mobile » de Finale. Poulenc appelait avec humour « Mouvements perpétuels » trois piécettes qui ne sont ni perpétuelles, ni tellement mobiles. Chez Ravel c'est le mobilisme même du Presto romantique et c'est la virtuosité de Paganini qui sont réhabilités : les notes répétées, prestiges, arpèges du violon jouent le même rôle dans ce Final que le trait ininterrompu de la main droite dans le Final de la première Sonate de Weber ou dans l'opus 119 de Mendelssohn en Ut majeur. Après un rappel du thème B qui enchaîne avec la Septième finale des Blues, le Moto perpetuo conclut par un rappel de A, le thème bucolique, allongé en noires et doublé en quintes ; les dernières mesures ne sont pas sans rappeler la péroraison du *Quatuor*.

La VALSE (1919) est, avec le *Boléro*, la seule œuvre pure- ment symphonique de l'après-guerre ; encore n'est-elle pas un poème exclusivement symphonique dans la tradition de Liszt, mais un ballet, et son argument chorégraphique tient la place des longs programmes que Liszt l'idéologue, le métaphysicien, écrivait en tête de ses compositions. 1919, l'année même de la paix... Quel contraste avec ces *Valses nobles et sentimentales* qu'en 1910 un musicien qui se voulait frivole écrivit au-dessus de la mêlée ! Au changement de ton on devine la catastrophe qui, bouleversant le monde, va séparer la vieille Europe et la nouvelle. L'auteur de la *Valse* n'est plus un dilettante en quête d' « occupations inutiles »... Voici donc non plus une suite de danses, comme dans *Adélaïde*, mais une Valse unique, une grande Valse tragique qui est à elle toute seule et du même coup noble et sentimentale ; mais cette fois sérieusement. Adieu, rigaudons, badinages et déjeuners sur l'herbe. Non que la *Valse* ne cite souvent les huit Valses de 1910, la septième notamment ; nous avons déjà confronté leurs fortissimos. N'importe : il y a un élément d'angoisse dans cet énorme crescendo qu'une réexposition coupe en deux. L'air de danse émerge de la brume à la douzième mesure, s'exalte peu à peu jusqu'à son paroxysme et, rejetant tour à tour toutes les tonalités qu'il aborde, traverse sur la fin des impatiences, des duretés qui rappellent, avec plus de sauvageries, la péroraison haletante de l'*Alborada* ou de *Daphnis*, et annoncent l'énervement final de *Tzigane*[1].

Pour la deuxième et dernière fois, en 1925, la musique de Ravel est montée sur la scène. L'ENFANT ET LES SORTILÈGES (1920-1925) adopte à son tour ce plan énumératif qui est si cher au chorégraphe et qui représente à peu près ce qu'eût été l'argument « à tiroirs » dans *Shéhérazade*, où s'enchaînent les contes successifs de la sultane : la succession des sortilèges correspond ici à celle des songes de Florine dans *Ma mère l'oye*, des allégories florales dans *Adélaïde*, des danses de *Daphnis* et même des quiproquos de l'*Heure espagnole*. Il n'y a pas de « thèmes », à moins que l'on n'appelle ainsi les deux tendres accords qui signifient « maman[2] » et qui, altérés au début par la méchanceté de l'enfant, reparaissent à la fin, d'abord timides, puis solennels comme un message de toute la nature, affectueux et sonores enfin comme la bonté elle-même. Jamais pourtant l'écriture de Ravel n'avait été si méchante : les accords détraqués de l'horloge comtoise, les glapissements du bonhomme Arithmétique et les sarcasmes pointus qui rient sur toutes les octaves emplissent cette partition de leurs stridences[3]. La langue d'*Adélaïde* revit en ces pages, et notamment dans la scène des matous avec ses traînants accords où l'on surprend un écho non équivoque de la cinquième Valse, la Valse lente, et de la sixième, toutes deux confondues dans la huitième[4]. Mais c'est plutôt *Ma mère l'oye* qui revit dans cette pastorale mélancolique en *La* où une pédale de *ré*, sous-

L'ENFANT ET LES SORTILÈGES

---

1. Comparez : édit. de piano, p. 22 et une cadence du *Concerto* en *sol*, premier mouvement, p. 14.

2. Altérés p. 3-4 ; appel timide : p. 86 ; solennels : p. 97-98 ; suaves : p. 101.

3. Remarquer toutefois p. 13 un accord parfait de *Mi* ♭ mineur avec arpège montant et gamme descendante. Ainsi il arrive à Debussy de ménager, dans *Pelléas*, des accalmies consonantes qui sont en quelque sorte les oasis du diatonisme.

4. *L'Enfant et les Sortilèges*, p. 61-63 et 86 ; *Valses nobles et sentimentales*, p. 24.

*Costume de l'Arithmétique
pour l'Enfant et les Sortilèges
(P. Colin).*

dominante, scande sur un rythme alterné le chœur des pâtres et les réponses des pastoures. Les exquises septièmes que voilà ! La Valse très américaine des Libellules annonce de son côté les onzièmes du *Concerto* en Ré[1]. Et pour que le dernier mot soit à l'amour, écoutons bien ce chœur final en *Sol* majeur où, derrière les quintes du prélude ralenties (des noires remplaçant les croches) chante la voix d'un tendre cœur. Mais aussi, qui faudra-t-il croire, l'artisan ou le poète ? l'ingénieur de tant de mécaniques de précision ou le lyrique passionné ? Entre les sarcasmes du père Arithmétique et la chanson bien douce, entre le thème maternel et le Feu industrieux, artilleur, forgeron avec ses langues écarlates et ses mille flammèches, comment déciderons-nous ?

1. *L'Enfant et les Sortilèges*, p. 69-71 et 85 ; et comparez *Concerto* pour la main gauche, (p. 9).

L'industrie

« *Ah ! je vois clair dans mon cœur.* »
(MARIVAUX)

On vérifie, en écoutant la musique de Ravel, que la France n'est pas toujours le pays de la modération, mais plus souvent celui de l'extrémisme passionné et du paradoxe aigu. Il s'agit d'éprouver tout ce que peut l'esprit dans une direction donnée, de tirer sans faiblir toutes les conséquences de certaines attitudes. L'abandon des préjugés, l'aventure et le scandale... : voilà où on en arrive avec cette imagination passionnée, téméraire, qui ne craint pas d'aller jusqu'aux limites extrêmes de son pouvoir. Loin de nous l'idée d'imputer à Ravel un banal esprit de surenchère ou comme le goût du record en soi. Au reste la musique, selon la juste pensée de Louis Laloy[1], n'est pas une science susceptible de progresser indéfiniment par la découverte de nouveaux accords, l'enrichissement et la complication graduels de l'harmonie. On aurait donc tort de croire que Ravel ait été au delà de Debussy dans une « course aux armements » où Stravinski l'aurait devancé à son tour ; cette vue toute linéaire et quantitative du progrès, si elle est vraie des techniques, ment à la vocation révolutionnaire de l'art. Et pourtant on ne peut nier que l'audace de Ravel n'ait suivi une sorte de « loi de frénésie » propre à toute géométrie passionnée. Ravel a reculé à l'infini les limites de l'impossible. Il n'y a donc pas lieu d'opposer péjorativement la marche rectiligne de Ravel à l'évolution buissonnante, imprévisible d'un Roussel : la logique alliée à la passion, — c'est là une des marques les plus caractéristiques du dix-huitième siècle français, et l'on s'explique que

---

1. Louis Laloy, *La Musique retrouvée*, p. 166-167. Roland-Manuel, *Maurice Ravel et son œuvre dramatique*, p. 87.

Le cabinet de travail de Montfort.

Ravel ait été constamment attiré par une époque qui fut, en même temps que le siècle des grandes audaces idéologiques, le siècle des raffinements les plus exquis de la politesse, du luxe et de la volupté.

Le faux Monticelli dont Ravel était si fier...

Gageure

Cette audace ravélienne s'exprime d'abord dans le goût de la difficulté vaincue et la recherche opiniâtre de l'effort ; ensuite dans l'esprit d'artifice. Une « esthétique de l'imposture ». L'expression est de Roland-Manuel, qui a pénétré plus profondément que quiconque le secret de cet art. Et nous préférerions dire, quant à nous : une esthétique de la *gageure*, parce que dans Gageure il y a l'idée du tour de force et de la volonté de fer. Ce côté de défi est à la fois cornélien et stoïcien. Ayant éprouvé que les choses belles sont difficiles, Ravel jouera donc à créer artificiellement les conditions exceptionnelles, ingrates, paradoxales qui rétablissent la belle dureté ; comme il n'a pas connu le conflit romantique de la vocation et de la destinée[1], il invente, faute d'une difficulté

1. *Ravel*, p. 199-200. *Revue musicale*, numéro cité, p. 16.

naturelle à s'exprimer, des obstacles factices qui lui feront une seconde gaucherie ; il se fabrique à son propre usage des interdictions gratuites et des impératifs arbitraires, il appauvrit volontairement son langage, essaie toutes sortes de limitations, de grimaces et de stridences afin d'éprouver avec certitude tout ce que peut l'industrie de l'artiste. Le poète s'astreint à parler en vers et le musicien se donne les règles de la fugue : car cette étroitesse, qui est à l'origine du devoir, est surtout un jeu de poète comme elle est un jeu de virtuose ; et Alain aimait à la retrouver chez Victor Hugo[1] : les *Djinns* ne sont-ils pas une sorte de calligramme et un pari tenu ? Ravel eût aimé non seulement les règles et veto conventionnels, les logogriphes et les rébus, mais encore les dangers artificiels ; car la volonté est plus forte que la mort... ou j'aurai fait telle chose difficile avant le dixième coup de dix heures — tel acte méritoire, saugrenu et désintéressé — ou je me brûlerai la cervelle. Toute œuvre de Ravel représente en ce sens un certain problème à résoudre, une partie où le joueur complique comme à plaisir les règles du jeu ; sans que personne l'y oblige il s'impose à lui-même des entraves et apprend, comme eût dit Nietzsche, à « danser dans les chaînes »... C'est la richesse de la pauvreté. Énumérons quelques-unes de ces pauvretés qui deviennent, par industrie et tour de force, plus opulentes que l'opulence : pauvreté mélodique, comme dans ce *Boléro* qui, comme un serpent, nous regarde de ses yeux fixes, pour nous fasciner ; le *Boléro*, que M. Dumesnil compare à un Da capo perpétuel, a juré de remplir une demi-heure de musique avec un thème de seize mesures et sans aucun développement ni variation, par la seule diversité de l'instrumentation, c'est-à-dire l'adjonction de timbres nouveaux — flûte, clarinette, hautbois, hautbois d'amour, trombone et saxophone — que la caisse claire rythme sans trêve de sa percussion obsédante ; la couleur instrumentale, rendant l'uniformité supportable, comme il arrive dans le *Capriccio espagnol* de Rimski-Korsakov, démontre avec éclat ce qu'on peut appeler la variété de la monotonie. Cela est tout simple, mais il fallait y penser ! Pauvreté harmonique : l'Épitaphe de *Ronsard à son âme*, qui tient sur une seule portée, s'engage à n'employer, de bout en bout, que des quintes justes : quintes glaciales, dures

---

1. *Préliminaires à l'Esthétique*, propos 93-94. Nietzsche, *Le Voyageur et son ombre* II, 140 et 159. Cf. 170. Le poète comme « imposteur » : I, 32. Cf. II, 122.

quintes, non point aériennes comme les tierces de l'*Inscription sur le sable*, mais nues, froides et lisses ainsi que le marbre des tombeaux ! On dirait que ces quintes successives se superposent à la fin pour échafauder le dernier accord, fait de sept quintes empilées depuis le *la* fondamental jusqu'au *la* ♯ aigu, comme au-dessous du thème A de *Daphnis*. Le prélude de *L'Enfant et les Sortilèges*, avec des quintes et quartes parallèles juxtaposées dans l'aigu par deux hautbois, réalise un exploit du même ordre. Pauvreté polyphonique, comme dans la *Sonate en Duo* pour violon et violoncelle, badinage tortueux où deux voix contrepointées se poursuivent, se rattrapent, se reperdent, sans l'appui d'un accompagnement ; ici Ravel s'engage « à modeler toute une symphonie en ne se servant que du pouce et de l'index »[1], il compense la rareté des notes et la pauvreté des accords par la mobilité mercurielle de deux parties qui s'arrangent pour être partout à la fois. A l'inverse de l'*Épitaphe* pour la main droite seule, le *Concerto* pour la main gauche représente, dans la tradition héroïque de Liszt, de Liapounov et de Scriabine, un exercice presque aussi réussi. Vous allez voir, mesdames et messieurs, tout ce qu'un homme peut faire avec les cinq doigts de sa main gauche. Et en effet, comme Liszt, par une économie ingénieuse, par le croisement des mains et l'alternance des accords, donnait un volume orchestral aux sonorités du piano, ainsi Ravel obtient plus avec cinq doigts que d'autres avec toutes les voix de l'orchestre. Ainsi Bartok écrit une *Sonate* transcendante pour violon seul. Et voici une ascèse d'un nouveau genre : Ravel se donne volontiers des textes plats ou antipoétiques, la prose de Jules Renard, le récit narratif de Parny, les rimes de Franc-Nohain, les bouts de phrase de Verlaine dans *Sur l'herbe* — car il a fait exprès de choisir la plus sèche des *Fêtes galantes*[2]. La poésie n'est-elle pas la plus méritoire, qui est conquise sur la matière la plus dure ? C'est ce qui fait des *Histoires naturelles* une prouesse si paradoxale ; et l'on admire encore qu'il ait su extraire une émotion si rare des humbles paroles qui terminent la troisième *Chanson madécasse* : « Allez, et préparez le repas... » Le soliste récite ces mots « quasi parlando » et cela est simple comme une nature morte de Cézanne — un pauvre bol sur une pauvre table — rien que les pauvres choses de tous les jours. Qui n'évoquerait, à ces

---

1. E. Vuillermoz, *Musiques d'aujourd'hui*, p. 160.
2. Léon Guichard, *Le Point*, septembre 1938, p. 191.

paroles, l'idée saugrenue de Satie mettant en musique, par défi, la prose du *Phédon* dans la traduction bourgeoise de Victor Cousin ? Bien d'autres problèmes encore ont reçu des solutions chez Ravel : la *Valse chorégraphique* qui est, comme le *Boléro*, l'étude d'un crescendo ; qui étudie comme l'exorde du *Concerto* en *Ré*, la genèse progressive d'un chant émergeant peu à peu du brouhaha, qui est en son début, comme la Passacaille du *Trio*, une étude des notes graves, — la Valse tient à peu près toutes les gageures. — Surtout il y a une forme de pauvreté où se lit mieux encore cet esprit d'obsession et d'envoûtement, cette fascination de l'immobilité qui médusent les « Augures printaniers » de Stravinski et l'*Amour sorcier* de Falla et que nous retrouvions, chez Ravel, dans les rabâchages du *Boléro*, dans le premier mouvement de la *Sonate en Duo*, ou le scherzo du *Concerto* en *Ré*, avec ses basses obstinées : la hantise des pédales — pédales de tonique, ou mieux de dominante — est peut-être entretenue en lui par la lecture de Borodine ; mais déjà la *Berceuse* op. 57 de Chopin avait tenu obstinément durant soixante et onze mesures une pédale de tonique (*ré bémol*) dans le dessein de nous hypnotiser... L'hallucinant *Gibet* de *Gaspard de la nuit*, battant tous les records, a fait le vœu de tenir durant cinquante-deux mesures une pédale de *si* ♭ ; et en effet le pari est tenu, le pianiste ne lâche pas une seconde ce *si* ♭ lancinant. La pédale ravélienne représente ainsi l'axe immobile autour duquel pivotent les harmonies : tantôt elle reste fixe[1], se confondant alors avec l'obsession du rythme, comme dans le *Boléro* et la Pastorale de l'*Enfant et les Sortilèges*, ou ce poétique *Clair de lune* op. 33 de Joseph Jongen, dont la dominante *fa dièse* se prélasse indolemment comme un songe ; tantôt la pédale vole d'octave en octave[2] ; parfois elle se déplace pour barrer la route à ces vastes accords appoggiaturés qui se jouent en prenant deux touches à la fois avec le pouce posé à plat[3] et

1. L'*Heure espagnole*, p. 48-49 et 70-71 ; intermède des *Noctuelles ; Oiseaux tristes ; Vallée des cloches, passim ;* 8ᵉ *Valse noble ; Kaddisch ; Manteau de fleurs ; L'Enfant et les Sortilèges*, p. 31-40.

2. Menuet du *Tombeau de Couperin* (Musette), *Scarbo, Vocalise-étude, Chanson française, Placet futile, Trio* (1ᵉʳ mouvement), Menuet de la *Sonatine*. Comparez : Debussy, *Mouvement*. Cf. Fauré, 3ᵉ *Valse-Caprice*.

3. *Daphnis* (piano seul, p. 85-86), *Alborada* (*Miroirs*, p. 38, 40), *Barque sur l'Océan* (*Miroirs*, p. 20), le *Cygne*, *Heure espagnole* (piano et chant, p. 108 et 19-21), Habanera de la *Rhapsodie espagnole*, 3ᵉ *Valse noble*, (p. 8-9), la *Valse* (piano seul, p. 10), *Asie* (*Shéhérazade*, p. 4 et 14), *Chanson de la mariée*. Cf. les récits intercalaires des *Danses du roi David* de Castelnuovo-Tedesco (imitant les sonneries du « chofar »).

que le barrage de la pédale empêche de se résoudre. Comme la pédale est aussi rigide qu'une tringle durant que bougent les harmonies, il se produit des frottements insidieux que Ravel exploite avec adresse : car il ne se lasse pas de jouer avec ces pédales frôleuses. Faudra-t-il parler d'une obsession de la pédale, qui riverait notre musicien à l'idée fixe de la dominante ? ou bien cette manie viendrait-elle tout simplement de l'influence des instruments à percussion (tambourin, tambour de basque)[1] qui ne donnent qu'un son immuablement, quelles que soient les sinuosités du chant ? Il est permis d'y voir plutôt l'avarice héroïque d'une sensibilité devenue, par étude, économe de ses propres élans. A l'esprit de mobilité qui circule, comme le vif-argent, dans la *Sonate en Duo* et dans *Scarbo*, ces musiques d'hypnotiseur que sont la première *Gnossienne* de Satie, *Boléro* ou le *Gibet* opposent le « temps gnossien », la tête de Gorgone qui immobilise les sons. C'est en quoi la musique de Ravel a été, par moments, incantation comme les musiques stationnaires de notre temps, comme le *Sacre*, comme les *Cirandas* de Villa-Lobos et les *Charmes* de Mompou, comme la *Fantaisie bétique* et le *Retable* de Falla. *L'Enfant et les Sortilèges*, *Amour sorcier* ! Ravel a joué lui aussi avec les vertiges de la fascinante sorcellerie...

Artifice

L'« artificialisme » est, avec la gageure, le trait le plus marquant de l'esprit ravélien. Pour Ravel, comme pour tous les vrais artistes, tels Chopin et Fauré, la musique n'est pas de plain-pied avec la vie, mais elle y circonscrit au contraire un « jardin clos », une seconde nature, une enceinte magique semblable à celle que l'augure consacrait, et qui devient le monde fictif de l'art. La musique est comme une fête où l'on ne va pas dans ses vêtements de tous les jours, mais avec des habits de gala, et une élocution choisie pour manifester, aussitôt franchi le seuil du lieu enchanté, que l'on se trouve dans l'Autre Univers. Est-il rien de plus insolite que de parler en chantant, comme à l'opéra ? C'est pourquoi les poètes que visite l'esprit d'Apollon s'expriment en vers, majuscules et langage métrique, se plient aux contraintes gratuites du style

---

1. Cf. Bizet, *Djamileh*, Danse de l'Almée.

et de la rime[1], endossent enfin leur tenue de cérémonie. Ce besoin désintéressé, cette démangeaison d'affirmer, par une conduite spéciale — initiation, dénouement et rituel — le retranchement et la sécession jalouse du plaisir esthétique, ce besoin a pour source l'insularité propre à toute œuvre d'art. Mais le défi et l'esprit de paradoxe, joints au goût de la perfection formelle, poussent Ravel plus loin encore : congédiant le romantisme, il fait cyniquement profession de frivolité, il ne veut pas être profond ; tandis que Stravinski, ennemi juré de l'*Espressivo* pathétique se réclame paradoxalement de Tchaïkovski, Ravel affecte, par coquetterie, d'admirer l'élégance de Saint-Saëns ! « Le plaisir délicieux d'une occupation inutile... » écrit-il lui-même, citant Henri de Régnier, en tête des *Valses nobles*. Ainsi, à demain les affaires sérieuses. La musique est un divertissement de luxe, un jeu exquis, et Ravel, qui tient à ne pas gâter son plaisir, abrite jalousement cette oasis, cette « île joyeuse », contre les promiscuités du siècle. L'île heureuse ! avec ses hautes falaises, ses vergers magiques et ses nuits australes, elle a visité la rêverie d'un Chabrier et d'un Debussy non moins que celle de Baudelaire. « Là tout n'est qu'ordre et beauté, luxe, calme et volupté. » La musique ne rayonne pas, comme chez les Romantiques, dans toute l'épaisseur de l'existence personnelle pour la réchauffer, mais correspond plutôt à une suite d'évasions intermittentes hors du réel et de la vie. On n'imagine guère Ravel assis toute la journée à son piano ou parlant musique dans les salons. Quand il n'écrit pas le piano reste fermé, et ses occupations de tous les jours ne sont pas celles que l'imagerie populaire attribue aux génies ravagés par l'inspiration. Il va se terrer dans son ermitage pour composer. Même la maladie n'a pas apporté dans sa musique la crispation de la douleur — cette crispation qui altéra si cruellement le visage de Debussy. La création représente donc chez lui un procès discontinu, une succession de crises qui seraient aussi bien des pauses merveilleuses. Son horreur des confidences indiscrètes et de la sincérité impudique, son respect pour la « solennité » de la délectation artiste et cette sorte de « dandysme » baudelairien que Roland-Manuel caractérise si subtilement lui ont été parfois reprochés. Essayons plutôt

---

1. Nietzsche, *Le Gai savoir*, aphorisme 84 ; *Par delà le Bien et le Mal*, aphorisme 188.

d'en suivre les traces dans son goût, ses prédilections, son style d'existence.

> *Alchimie est art véritable...*
> *Car d'argent fin fin or font naître*
> *Ceux qui d'alchimie sont maîtres.*

Et M. Schuhl, qui cite ce texte du *Roman de la Rose*[1], énumère ailleurs tous les plaisants appareils, tous les automates que nous devons à l' « instinct mechanique » du XVIIIe siècle et qui *non sunt ad necessitatem, sed ad deliciarum voluptatem* : le paon de M. de Gennes, et surtout les merveilles, les θαύματα de Vaucanson — le canard qui nageait, avalait du grain et le digérait, l'aspic, le flûteur, le joueur de tambourin et la joueuse de tympanon du Musée des Arts-et-Métiers. Et l'on songe ici au « pavillon de l'imposture » de Montfort-l'Amaury ; Hélène Jourdan-Morhange a décrit dans des pages charmantes[2] les joujoux qui emplissaient cette grande boîte à joujoux : le rossignol lilliputien, les ludions, sulphurs, bibelots, et le petit navire qui tangue sur des vagues en carton quand on tourne la manivelle. En fait l'ingéniosité de Ravel n'alla point tant, comme celle de Léonard, à une technique industrielle au service des besoins humains qu'à la fabrication des objets, et spécialement des objets qui contrefont la vie. Un maître en objets... — c'est ainsi que l'appelle Léon-Paul Fargue, qui décrit sa maison comme un nécessaire à ouvrage, une trousse pleine d'objets précieux et précis, un jouet à surprises compartimenté ainsi qu'une cabine de bateau. Il a dû aimer le Concours Lépine. Ce qui l'attire en première ligne dans l'artifice, c'est le pouvoir créateur d'une imagination démiurgique et magicienne capable d'enfanter des progénitures qui vivent et se meuvent spontanément. *Homo additus naturae*, l'homme faisant concurrence à la nature et, par un suprême sacrilège, la surpassant, si bien qu'en définitive c'est la nature, selon le mot de Wilde, qui semble imiter l'art et n'être à son tour qu'un premier artifice[3]... voilà un bien grand sujet d'orgueil pour le génie humain. « Il n'est

---

1. P. M. Schuhl, *Machinisme et philosophie*, p. 32.
2. *Ravel et nous* (Genève 1945), p. 26-28.
3. « Artificiel par nature », tel il se veut lui-même (cité par Calvocoressi).

Sur le piano de Montfort.

aucune de ses inventions réputées si subtiles ou si grandioses que le génie humain ne puisse créer ; aucune forêt de Fontainebleau, aucun clair de lune que des décors inondés de jets électriques, ne produisent ; aucune cascade que l'hydraulique n'imite à s'y méprendre ; aucun roc que le carton-pâte ne s'assimile ; aucune fleur que de spécieux taffetas et de délicats papiers peints n'égalent[1]. » Ravel eût admiré la thaumaturgie des fonteniers et des artificiers florentins, les grottes artificielles du Grottesco et les chefs-d'œuvre du Rocailleux. Certes les successeurs de Chopin avaient joué parfois avec l'amusante raideur des marionnettes[2]. Nos contemporains, actionnant les automates, réglant leurs « pas d'acier » et leurs « danses cuirassées », entendent au contraire ironiser sur l'attendrissement romantique : c'est à quoi servent sans doute les Ludions, Pantins, Bonshommes en bois, Statues de bronze d'Erik Satie[3], les fantoches du guignol de Maître Pierre chez de Falla, les poupées de *Petrouchka* et jusqu'aux soldats de plomb de Debussy et Séverac. Ravel penserait de son côté qu'il n'est pas de plus profonde philosophie que la sagesse du feu artisan, artificier et artilleur, docile à l'industrie de notre raison. C'est le côté baudelairien de sa nature. De là ce foisonnement de jouets à système, pantins, automates animés qu'une intelligence occupée à mimer la vie monte et agence de toutes parts dans sa musique. Poupées d'étoffe dans *Adélaïde* ; féerie d'acier de l'*Heure espagnole* ; dans *L'Enfant et les Sortilèges* féerie de porcelaine et de papier, féerie d'ameublement... Il y a encore bien des farfadets et des lutins au bois d'Ormonde, et la *Ronde* pour chœur a cappella nous en donne la liste dans une énumération plaisante : mais ces gnomes sont des gnomes mécaniques, mais ces lutins se remontent avec une clef ; dans la forêt magique de Chausson, de Louis Aubert et de Roussel pullule à présent tout un peuple de salamandres motorisées et d'oiseaux à système. Car il n'aime les bêtes, dirait-on, que lorsqu'elles sentent le métal ou le bois peint : rappelez-vous le *Noël des jouets*, ses moutons vernis aux yeux d'émail et ses lapins-tambours incassables qui font des rantanplans ; les agneaux roses et la chèvre amarante de Colette ;

---

1. Des Esseintes, cité par Robert Gavelle, *Aspects du trompe-l'œil* (*L'Amour de l'art*, 1938, p. 238).
2. Chtcherbatchev op. 15 n° 7 et 41. Liadov op. 29 *(Koukolki)*.
3. *Les Pantins dansent. Ludions. Descriptions automatiques. Croquis et agaceries d'un gros bonhomme en bois. Embryons desséchés* etc.

aussi le grillon mécanique des *Histoires naturelles* qui fait tic tac comme un chronomètre ; et le jardin nocturne de *L'Enfant et les Sortilèges*, qui n'est plus qu'une grande volière bourdonnante où le grincement des insectes se marie aux musiques des crapauds et au craquement des branches. Surtout le musicien bricoleur s'en donne à cœur joie dans l'*Heure espagnole* où il y a des coucous, et des marionnettes à musique, et le petit coq, et l'oiseau des îles, sans oublier l'automate qui joue de la trompette ; par-dessus tout il y a la cacophonie discordante et carillonnante des horloges, proches parentes de la pendule détraquée de *L'Enfant et les Sortilèges*[1]. Il aimait la mécanique détraquée et il devait avoir comme Satie, une prédilection particulière pour les pianos désaccordés ou les vieux phonographes chevrotants... Avant Séverac[2] et Milhaud il a fait ses

---

1. *Heure espagnole* (partition piano et chant), p. 3, 73 ; *L'Enfant et les Sortilèges (item)*, p. 14.

2. *En vacances*, 1er recueil, no 6 ; *Sous les lauriers-roses*, p. 25. Cf. Turina, op. 63[3]. Liadov, op. 32. Qui ne songerait ici à l'*Opéra de quat'sous* et à *Mahagonny* ? Stravinski a écrit en 1917 une *Étude pour pianola* !

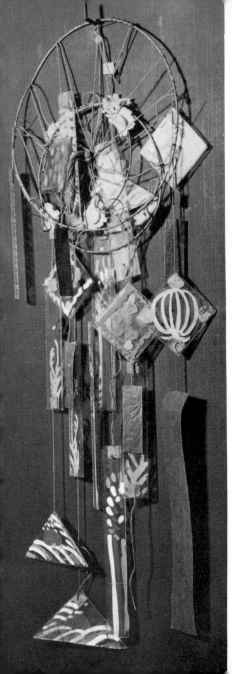

délices des boîtes à musique et des pianos mécaniques : témoin le scherzo chinois, dans *Asie*, où l'on devine déjà les aigres théorbes de l'Impératrice des Pagodes avec leur bruit de coquilles et de noisettes cassées ; dans l'aigu, comme *Laideronnette*, la *Fanfare* de l'*Éventail de Jeanne* secoue ses grelots, ses criquets mécaniques et ses claquements de castagnettes. Dès la *Feria* de la *Rhapsodie espagnole* on pouvait entendre glapir l'orgue de barbarie de *Petrouchka*. Là même où il n'y a ni machinerie, ni pianolas, ni tabatières à musique, l'écriture de Ravel conserve la trace des roues dentées, comme on le voit bien dans cette *Énigme éternelle* qui est un peu automatique en sa douloureuse gaucherie. Déjà l'automatisme se fait jour dans *Sainte* où la raideur rituelle et un peu somnambulique des accords parallèles évoque les rêveuses processions d'accords de Debussy et les liturgies compassées de Satie. Voici quelques symptômes de cet automatisme : les notes répétées à perdre haleine, imitant le martellement du cembalo, comme dans le *Polo* de Manuel de Falla et les dernières œuvres de Debussy

« *Chinoiseries* » *accrochées à une porte de Montfort.*

— *Boîte à joujoux*, *Neuvième étude*, notes bègues, trépidantes, térébrantes qui s'enfoncent dans l'âme comme des vrilles, elles ont marqué toute l'*Alborada* de leurs fines piqûres ; mais on en suivrait aussi le pointillé dans *Scarbo*, dans le caquet de la *Pintade* : cette assourdissante volaille, apparentée sans doute à la Bavarde de Prokofiev, aux commères, aux pies et aux espiègles de Moussorgski, jacasse comme une crécelle et étourdit toute la basse-cour ; écoutez surtout la Toccata infatigable du *Tombeau de Couperin*, et ce *Pantoum* d'acier qui ronfle et tourne vertigineusement comme un moteur[1]. Après les notes répétées, la phobie du « ritardando » — car le ritardando est une langueur du sentiment, la lassitude grandissant jusqu'à la démission, le mouvement peu à peu alenti, puis expirant dans l'agonie prolongée et l'extase glorieuse du point d'orgue. Les organismes s'éteignent graduellement à mesure que s'épuise leur force vitale ; mais les automates s'arrêtent tout d'un coup, quand leur ressort est démonté. C'est parce qu'ils évitent toute complaisance affective, tout attendrissement ou attardement rêveur que Satie, Poulenc et Ravel résistent à la mourante apothéose du Ralenti. Le Ralenti, licence du tempo, ne tient-il pas au trop humain faiblissement d'un être incapable de soutenir sa vitesse première ? Ainsi Fauré évite le rallentando par pudeur, et Ravel simplement parce que les automates sont infatigables. « Ne pas ralentir[2] » — il n'y a qu'un cri sur ce point dans une musique tout occupée à se composer le masque imperturbable, indifférent et parfaitement inexpressif de l'ingénieur ; même les ralentis du Menuet de la *Sonatine*[3], sont en réalité un retour au tempo primo et non point une défaillance pathétique, un élan qui se pâme. La continuité du ralenti, comme celle du crescendo, correspond bien aux dépressions et aux exaltations éloquentes de l'âme romantique : c'est l'élan peu à peu amorti, alenti, attendri ; et Ravel, lui, rechercherait à défaut de ralenti l' « hésitation », qui est spasmodique.

---

1. Malagueña et Feria de la *Rhapsodie espagnole*, *Tzigane*, Perpetuum mobile de la *Sonate* de violon, *Daphnis*, p. 86 ; *Heure espagnole*, p. 77, 103 suiv. ; *Toccata* du Tombeau, Finale du *Concerto* (p. 39, 44) et beaucoup de chansons espagnoles de Nin *(El Vito, Malagueña)*.
2. Le *Gibet*, *Alborada* (*Miroirs*, p. 40, 44), *Nicolette*, 2e *Épigramme* de Marot *(fin)*, *Jeux d'eau (fin)*, *Ondine (fin)*, Forlane *(Tombeau de Couperin*, p. 15), *I*ere *Valse*, *Scarbo (fin)*.
3. A. Cortot, *Cours d'interprétation*, p. 170-171.

Non point fléchissement, mais démarrage. Voici le nain Scarbo qui s'y reprend à deux ou trois fois et pirouette sur lui-même avant de s'élancer pour la ronde infernale ; le fauteuil de *L'Enfant et les Sortilèges*, sur le point de danser sa grotesque pavane, s'ébranle et tressaille, comme une table tournante, et cette lévitation saccadée n'est pas sans rappeler la mise en marche des balais magiques dans l'*Apprenti sorcier* ou le démarrage de l'isba aux pattes de poule dans la *Baba-Iaga* de Moussorgski. Après quatre accords qui ressemblent à des ratés entrecoupés par des silences, la *Fête-Dieu à Séville*, chez Albeniz, démarre enfin comme démarre, chez Séverac, le carnaval *Sous les lauriers-roses* après quelques rantanplans. De là l'allure violemment discontinue du discours ravélien, l'élan soudain coupé, et surtout dans *Scarbo* ou dans l'*Alborada* : l'accord ne vibre plus en beauté dans l'apothéose du point d'orgue, mais il est subitement étranglé par un brusque silence ; ou bien tout finit sur une pirouette ou un croc-en-jambe, comme parfois chez Milhaud, Satie et Poulenc[1]. Plus généralement une musique envoûtée, une musique qui a le diable au corps ne peut être délivrée que par la grâce d'un sortilège subit, seul capable d'en interrompre le mouvement perpétuel : citons ici le « Perpetuum mobile » qui forme le Finale de la *Sonate* de violon, ou encore la *Sonate en Duo* avec les insistances et répétitions de son premier mouvement. C'est ainsi qu'il faut comprendre la fameuse modulation en *Mi*, ce « clinamen » arbitraire qui rompt tout soudain l'envoû-tement du *Boléro* en l'aiguillant sur la coda libératrice et sans lequel le boléro mécanique renaissant constamment de lui-même, tournerait en rond jusqu'à la consommation des siècles : telle encore la résolution tranchante par laquelle l'action brise une bonne fois le cercle magique (qui est aussi un cercle vicieux) du monoïdéisme. — Cette discontinuité, on la retrouve enfin dans le goût si ravélien du merveilleux. La manière de Ravel tient du spiritisme, mais aussi de l'esca-motage sophistique, qui est précisément le tour de passe-passe, le glissement fallacieux grâce auquel le discontinu semblera continu : on se trouve soudain forcé d'admettre telle conclusion saugrenue, et l'on ne comprend pas, bien qu'il doive y avoir quelque part une fissure ou un calembour, comment on y est arrivé ; car ces dialecticiens n'ont jamais

---

1. Poulenc, *Mouvements perpétuels*, II. Milhaud, *Saudades* III et XI. Satie, *Pièces froides* II.

Ravel au
pupitre
" Boléro "
L.C. Albert

tort dans le détail, encore qu'ils n'aient jamais raison dans l'ensemble. La grande phrase de l'Andante du *Concerto en sol*, qui paraît écrite d'un seul jet, fut, paraît-il[1], assemblée mesure par mesure comme un jeu de puzzle ou une marqueterie. Mettre un lapin dans un chapeau et sortir des cages, écrit Cocteau, voilà qui est bon. C'est l'entre-deux qui est inintelligible. Telle est en général l'opération du génie, où l'on voit bien l'Avant et l'Après, le créateur et la créature, mais justement pas la création ; et ils baptisent simplement le mystère, ceux qui appellent Inspiration cette action à distance, ce magnétisme instantané à travers le vide. La transmutation alchimique ou, comme dans les tableaux de Jérôme Bosch et de Steen, la fraude — voilà le comble de la virtuosité pour une conscience captieuse, panurgique, espiègle, qui s'émerveille de ses propres pouvoirs. Ravel et Rimski-Korsakov eurent pour cette thaumaturgie une enfantine curiosité. Mais il faut ajouter que Debussy le premier, en supprimant la médiation discursive des modulations, en juxtaposant les accords sans transition, créait autour des tonalités toute une aura magique et délicieusement suggestive, celle qui résulte de l'attraction immédiate des présences. Chez Ravel il faudrait citer tout *L'Enfant et les Sortilèges*, qui est une féerie, un vrai poème des métamorphoses. Dans *Ma mère l'oye* tout au long des transfigurations successives et jusqu'à l'apothéose finale, les quintes de la destinée, les quintes philosophales évoquent les fanfares de *Tsar Saltan* et les incroyables merveilles de *Sadko*. « Tchoudo tchoudnoïé, Divo divnoïé ! » Prodigieux prodige ! Merveilleuse merveille ! A la fin des *Entretiens* de la Belle et de la Bête, la grande glissade qui conjure l'enchantement annonce la libération du Prince charmant ensorcelé. Mais il faudrait citer ici tous les quiproquos et l'imbroglio cocasse de l'*Heure espagnole*. Quelquefois les sortilèges de ce jongleur servent non point à métamorphoser mais à subtiliser : « il regarda sous le lit, dans la cheminée, dans le bahut... ; personne. Il ne put comprendre par où il s'était introduit, par où il s'était évadé ». Cette épigraphe d'une épigraphe, qui cite les *Contes nocturnes* de Hoffmann, se lit en tête de *Scarbo*. C'est Scarbo, le méchant nain, qui éclate comme une bulle de savon ; Ondine qui s'évanouit en giboulées. Rappelons-nous encore le long trille brumeux dans lequel le *Tombeau de Couperin* escamote son Prélude et son Menuet : un trait

---

1. *Maurice Ravel, sa vie, son œuvre* (Grasset, 1938), p. 21.

qui file vers l'aigu[1], comme chez Debussy à la fin de la *Danse de Puck*, une note imperceptible comme à la fin du ballet aérien *Les fées sont d'exquises danseuses*, une pirouette, un pied-de-nez, un trémolo..., et le tour est joué ; il n'y a plus de Scarbo, plus d'Adélaïde — rien qu'un peu de buée sur les hauteurs, la lune qui joue avec les nuages. Ainsi la Troisième *Valse romantique*, chez Chabrier, s'envole en fumée vers les hauteurs. Ainsi s'évanouissent Snegourka et la Tsarevna chez Rimski-Korsakov. Disparitions, transmutations — voilà donc les deux grandes spécialités de notre enchanteur : escamoter un gnome, cacher un poète dans une horloge, ou comme chez Rimski-Korsakov, enfermer un cosaque et un diable dans un sac et la belle-sœur d'un prince dans un arbre, changer un prince en bœuf, faire parler les rainettes et les libellules... ce n'est qu'un jeu pour lui ; mais lui-même, le technicien le plus scrupuleux de la terre, ne dirait-on point qu'il porte sur lui un talisman, un anneau de Gygès qui lui permet de composer sans qu'on sache où. « Rien dans les mains, rien dans les poches », annonce Roland-Manuel... Il est comme un chirurgien qui dissimule les instruments de son métier pour avoir l'air d'un rebouteux ; il ne déteste pas qu'on le prenne pour un amateur, bien qu'exceptionnellement méticuleux se compose volontiers le masque de l'approximation. Il veut paraître charlatan. Lui qui a si bien prêché par sa probité technique et ses scrupules la longue patience du labeur, comment accepte-t-il de passer pour un illusionniste, un praticien de l'équivoque et de la jonglerie ?

Virtuosités instrumentales

C'est que la technique est entre ses mains de magicien l'instrument d'une action incantatoire — disons d'un « charme ». Les manigances d'Orphée, les stratagèmes pour ensorceler l'auditeur sont l'objet d'un apprentissage. On ne naît pas sorcier, mais on le devient par étude. Ravel professe en toute circonstance le primat du métier. « Bien entendu il

---

1. Cf. *Chanson à boire, Malagueña*.
2. *Maurice Ravel ou l'esthétique de l'imposture*, *Revue musicale*, numéro cité, p. 18. Cf. Camille Mauclair, la *Religion de la musique*, p. 146.

faut connaître le métier[1] » ; il nierait volontiers le « don divin », prétendant avec Valéry que l'inspiration consiste dans l'habitude de s'asseoir tous les jours à la même heure à sa table de travail ; le hasard, comme pour Edgard Poe, fut son grand ennemi. Il eût sans doute taquiné Henri Bremond et pris (en apparence) le parti d'Alain lorsqu'Alain admirait chez Michel-Ange le chantier du maçon[2]. Le génie comme savoirfaire ! Ces paradoxes intellectualistes à la mode ne lui auraient pas déplu... De là, en premier lieu, une inclination jamais démentie pour la virtuosité. Cet esprit de virtuosité et d'adresse manuelle, ce goût du « solisme » nous surprennent chez un musicien qui ne fut pas, comme Debussy, un pianiste exceptionnellement doué. Il n'est que juste de reconnaître qu'il suivait en cela une tendance générale à notre époque, et qui s'affirme aussi bien dans les concertos de Prokofiev que dans l'opus 36 de Roussel ou les dernières compositions décoratives de Stravinski à partir du *Capriccio*. Lui-même a exprimé son intention de renouer avec la tradition de Saint-Saëns, c'està-dire avec le genre d'apparat et le brio de concert ; intention qui s'accorde évidemment avec son dilettantisme scarlattien — car la musique est avant tout « divertimento », et la bravoure musicale illustre assez bien ce retour à l' « ostentation » qui est le grand paradoxe moderne de Baltasar Gracian. La glorieuse exhibition n'est-elle pas un dérivatif pour la mauvaise conscience intervertie et pour la subjectivité malheureuse ? Les victoires techniques nous libèrent des tragédies de la vie intérieure. *Tzigane, Sonate en Duo* et les deux *Concertos* se consacrent ainsi à la glorification de l'apparence et de la montre ; mais les difficultés redoutables de *Scarbo* et du *Pantoum* dénotent aussi un certain goût de l'héroïsme que notre persifleur (ironie du sort !) hérite du Romantisme, des performances de Paganini et des prouesses de Liszt. Ravel admirait les *Études transcendantes*. L' « esprit soliste » anime chez lui tel allegro pour harpe, telle rhapsodie pour violon, retient l'instrumentiste à découvert ou en vedette à la pointe de l'orchestre, le promène, tel un alpiniste sur une corniche étroite, dans les tessitures les plus périlleuses pour son archet ; car dans le solo et ses récitatifs il y a l'ivresse de

---

1. *Journal* de Jules Renard, p. 1343. Cité par Léon Guichard, l'*Interprétation graphique, cinématographique et musicale des œuvres de Jules Renard*, p. 179, et C. Photiadès in *Revue de Paris*, art. cité.
2. *Préliminaires à l'Esthétique*, p. 220. Cf. p. 259.

la géniale solitude. La cadence de bravoure se trouve dès lors réhabilitée : la cadence du *Concerto pour la main gauche*, est une somptueuse démonstration de puissance et d'adresse ; la cadence du *Concerto en Sol*, brillante exhibition de la main gauche, déroule de grands arpèges et marque le chant avec le pouce par-dessous les trilles de la main droite ; les cadences de *Tzigane* et du Prélude à la nuit dans la *Rhapsodie espagnole* rappellent les vocalises et récits des instruments solistes, premier violon, première flûte, clarinette solo, basson et harpe dans les œuvres de Rimski-Korsakov, *Capriccio espagnol*, *Shéhérazade* et *Grande Pâque russe*. Le déluge des « petites notes », comme il enveloppe *Feux d'artifice* et les *Poissons d'or* de Debussy, enveloppe les poèmes aquatiques et aériens de Ravel, *Jeux d'eau*, *Barque sur l'Océan* et *Ondine*, *Oiseaux tristes* et la fin de *Noctuelles*, ainsi que le récit médian de l'*Allegro* pour harpe. Comme ces traits sont clairs, durs et brillants ! La cadence ici n'est plus l'approximation, comme dans le laisser-aller et la profusion romantiques, mais il y a en elle quelque chose d'évasif et de précis à la fois qui est spécifiquement impressionniste et qu'on trouve déjà chez Liszt dans les grandes rafales de *Chasse-neige*, la XIIᵉ « Étude transcendante», et dans les trois poèmes de « Venezia e Napoli »: *Gondoliera*, *Canzone* et *Tarentelle*. Les trilles de quarte ou de seconde mineure qui s'éteignent dans l'aigu des *Rhapsodies hongroises*, ils bruissent et fusent aussi à travers *Tzigane*. Distinguons ici la technique vocale, le pianisme et la curiosité pour l'instrument. 1° *L'Heure espagnole*, venant après la déclamation narrative des *Histoires naturelles*, si étroitement calquée sur les intonations du langage parlé, représente un retour bizarre aux agréments du bel canto. Certes Ravel recommande aux acteurs toute l'humilité du « quasi parlando », en d'autres termes le ton du récitatif et de la conversation musicale ; on dira aussi que le ton du Quintette final est celui de l'affectation et de l'exagération ironiques, que ce lyrisme n'est pas bien sérieux. Toutefois on n'oserait affirmer que Ravel n'y ait pas pris goût. La séduisante *Vocalise en* Fa, romance muette, confirme nos soupçons. Voici donc revenus, grâce au bachelier Gonzalve, les plus beaux jours de la coloratura et de la fioriture[1] ; ici fleurissent roulades, trilles et fusées. Succédant aux *Poèmes* de Mallarmé, et notamment à *Placet futile*, *L'Enfant et les Sortilèges* « chante » beaucoup

---

1. *L'Heure espagnole*, p. 19-23 et 102-114.

et presque[1] tout le temps : la voix, au lieu d'épouser les moindres inflexions du discours, monte et descend sur l'échelle à grandes enjambées et s'y permet des écarts mélodiques que le *Kaddisch* lui-même n'avait jamais osés si vertigineux[2]. L'aimable déclamation, et toute fleurie de gentillesses — fausset[3], « portando », mordants, notes piquées, vocalises — dont quelques-unes décoreront aussi la jubilante *Chanson à boire*. Sans doute dans l'*Épitaphe* de Ronsard la voix se meut-elle dans l'intervalle d'une octave, tantôt suivant les notes supérieures des quintes, tantôt se glissant au milieu de la quinte vide pour la farcir d'une tierce... Mais cette humilité n'est-elle pas précisément un héroïsme de plus ? 2° De tous les héros le plus virtuose est sûrement le héros du clavier parce qu'il se suffit à lui-même. Sous ce rapport François Liszt, pour Ravel, a incarné la victoire, c'est-à-dire la résistance apprivoisée, domestiquée, volatilisée par la technique de l'homme et notamment par la chirotechnique ; Liszt, nouveau Prométhée, dérobe une seconde fois le feu artiste dans la demeure des dieux et apprend aux hommes le pouvoir infini de leur vouloir ; les Études « transcendantes » affirment la transcendance manuelle et digitale de l'homme sur la matière. On ne dira jamais assez tout ce que le pianisme ravélien doit aux trouvailles de ce merveilleux génie — non pas uniquement des tonalités et des atmosphères, comme le *Mi* majeur des *Jeux d'eau*, ou le romantisme un peu suisse de la *Vallée des cloches*, mais en première ligne une technique barbare, révolutionnaire qui balaye les touches comme un ouragan : les *Jeux d'eau* seraient-ils sans les *Jeux d'eau à la Villa d'Este*[4] et *Au bord d'une source*, *Scarbo* sans *Méphisto-Valse*, *Ondine* sans les traits de *Saint François de Paule*[5] ? La fin de *Noctuelles* se souvient de *Saint François d'Assise* et de *Waldesrauschen*, mais aussi de *Feux Follets* et de la *Leggierezza*. Remarquons

1. P. 91 suiv. *L'Enfant et les Sortilèges* use d'un récit à peine chanté, et qu'il faut déclamer sans timbre. Cf. la mélodie frileuse, repliée, fauréenne de la p. 50, et le récit parlé des *Chansons madécasses*.

2. P. 21. A comparer à *L'Heure espagnole*, p. 36, 65, 68-69, 78 ; pour le rôle de Gonzalve, p. 22, 25.

3. « Falsetto » : *Heure espagnole*, p. 48, 53-55, 106-107; *L'Enfant et les Sortilèges*, p. 13, 23, 53.

4. *Années de pèlerinage*, 3e année (Italie, n° 4). A Liszt, Ravel consacre un article en février 1912 (S. I. M., Concert Lamoureux).

5. Il n'est pas jusqu'à *L'Enfant et les Sortilèges* (p. 26) où l'on ne retrouve la trace de *Wilde Jagd* (*Études transcendantes*, n° 8).

Lettre du 4 août 1923 à H. Jourdan-Morhange.

pourtant que les recherches de virtuosité ne sont jamais chez
Ravel acrobatiques de parti pris, ayant toujours à leur source
une raison purement musicale : tel le croisement des mains,
qui se justifie moins souvent par une économie de puissance
que par une certaine sonorité à obtenir comme dans tel
passage de Liszt *(Après une lecture du Dante)* qui se jouerait
plus commodément sans croiser — la main droite en haut, la
gauche dans les basses — mais perdrait alors la sonorité contra-
riante, étrange qu'on obtient en confiant les notes graves à la
main la plus chantante et, par un chiasme ironique, les notes
aiguës à la main accompagnante[1]. D'autre part, alors que les
Études transcendantes représentent en général un seul type de
difficulté par pièce (les arpèges, les octaves, les gammes...),
chaque pièce de Ravel les rassemble toutes : *Scarbo*, par exemple, est comme l'encyclopédie diabolique de tous les pièges,
obstacles, chausse-trapes qu'une imagination inépuisable
peut tendre sous les doigts du virtuose : notes répétées, trilles,
accords alternés, traits vertigineux, étude de staccatos pour
le poignet... Impossible à la main de prendre des habitudes :
Scarbo, par ses interruptions brutales, par les réadaptations
continuelles qu'il impose au pianiste, brise toutes les inner-
vations musculaires à mesure qu'elles se fixent. Comme Bala-

---

1. Cf. Fauré, 1er *Nocturne*, et « trio » de la 2e *Valse-Caprice*.

ça me sera bien utile : le jour de mon retour à
Montfort (le 15), j'ai trouvé lemoyen de m'écraser
deux doigts,un à chaque main . Ce n'est qu'aujour-
d'hui que le médecin a pu me rassurer : l'auricu-
laire de la main droite,qui jusqu'ici avait tout
du bifteck,se recompose . Le médius de la gauche
(le plus amoché)toujours insensible,commence enfin
à donner de l'espoir : ilpeut,et doit même jouer du
piano,pour exciter les nerfs détruits à se reformer
Vous comprenez que je n'étais pas pressé de

kirev Ravel dessine volontiers un chant avec des accords alternés frappés en échangeant les deux mains, ainsi que dans le *Pantoum*[1]. Comme Fauré et comme Liszt Ravel renverse le primat académique de la main droite ; Ravel a honoré spécialement la senestre, tout nous le dit, et notamment le *Concerto* manchot, qui est un concerto gaucher. Comme Liszt encore, et comme Mendelssohn, Ravel s'est grisé de vitesse, de Friskas et de « Gnomenreigen » ; mais le Presto, chez lui, c'est la lucidité dans la célérité, la vitesse limpide et non pas le vertige d'une conscience qui s'étourdit elle-même et qui enveloppe les traits dans la draperie de la vélocité et du mouvement. Telle est la distance du *Perpetuum mobile* romantique au Final de la Sonate de violon. Le voici, ce rapide *Scarbo*, le nain électrique avec son grelot d'or et son rire méchant, preste comme un acrobate, impassible comme un demi-dieu. Il galope sur les ailes du vent parmi les glissandos fantastiques et les lueurs d'acier, il tourbillonne sur place en notes répétées, il vole, ainsi que l'Oiseau de feu, d'une octave à l'autre. Comme elle est maîtresse de ses nerfs, la rapide conscience ! et aérienne avec cela, et minutieuse comme une horlogère ! N'est-ce pas l'humour même de Scarlatti, aussi vif que les elfes, et bondissant d'un extrême à l'autre ? Dans cette poursuite éperdue de l'ubiquité, que deviennent les « doigtés » ? Il n'y a plus de doigtés. « Cherchons nos doigtés », écrit Debussy en tête des *Douze Études...* Henri Gil-Marchex[2] montre excellemment que Ravel a subalternisé l'articulation proprement dite : dans *Jeux d'eau*, *Scarbo*, *Ondine* et la Sixième *Valse noble* c'est le poignet ou même l'avant-bras qui pèsent en bloc sur les touches, soit par leur balancement, soit par leur rotation ; le pouce, posé à plat, prend volontiers deux touches à la fois, et de là la prédilection remarquable de *Scarbo* pour les successions de secondes : comme chez Albeniz, c'est le pianisme qui est la cause, l'harmonie qui est l'effet ! Toute cette démiurgie exige du pianiste une attaque du clavier particulièrement nerveuse ; qu'on ait des doigts d'acier, des réflexes immédiats, des terminaisons sensorielles extrêmement déliées, le geste prompt comme l'éclair et un sang-froid à toute épreuve. Le clavier s'aborde à la fois par la violence et par la persuasion : entre ces figures trébuchantes, incisives, tout faux pas serait mortel ; le

---

1. *Trio*, p. 18, 19, 20. Cf. *Ondine* et *Scarbo*, *Alborada*, p. 33-34.
2. La *Technique de piano* (*Revue musicale*, numéro cité, p. 38).

pianiste balaye les touches avec le dos de la main, arrache à l'instrument, par la sécheresse de l'attaque, des sonorités inentendues ; le pianiste obtient à volonté les accents du hautbois, le timbre du violoncelle, le pincé de la guitare et le métal du cembalo ; pour un peu, et s'il le fallait[1], il assénerait son poing sur les touches, profanant ainsi par un geste violent et sacrilège le préjugé des doigts déliés ; car il n'y a pas de tabous pour le démiurge du clavier. Citons les glissandos étourdissants de l'*Alborada*[2] — glissades de tierces, de quartes (confiées aux harpes et flûtes dans la version instrumentale), gerbes fusantes qui jaillissent, puis retombent prestement sur la ligne bien tendue des notes répétées. Les arpèges eux-mêmes se jouent très serrés et souvent de haut en bas, rageusement arrachés comme chez Séverac *Sous les lauriers-roses* ou dans la *Jota Valenciana* harmonisée par Joachim Nin. L'arpège de guitare est reconnaissable dans l'*Alborada* comme dans les *Minstrels* de Debussy. « La guitare fait pleurer les songes » : ce vers de Lorca que Poulenc inscrit en tête de l'Intermezzo de sa Sonate de violon pourrait servir d'épigraphe à bien des musiques d'Albeniz et de Falla, de Debussy, de Roussel et de Ravel. A la fois aride et convulsée, la sonorité guitaresque a introduit dans le pianisme d'aujourd'hui l'« esprit du sanglot »[3] en même temps que l'esprit ascétique et austère du Pizzicato. La *Sarabande* et le *Bachelier de Salamanque* de Roussel, tout comme la *Malagueña* d'Albeniz intitulée *Rumores de la Caleta* font entendre le sanglot étouffé... Mais on n'en finirait pas d'énumérer toutes les machinations dont Ravel a enrichi le piano grâce à l'agilité industrieuse de ses doigts et à la fertilité d'une imagination motrice, tactile et instrumentale qui ferait pâlir *Islamey*. Sans doute la coquetterie de la virtuosité, chez Maurice Ravel, comme chez Prokofiev, vient-elle en partie des violences de l'après-guerre ; en tout cas sa musique, scandant le « pas d'acier », y a gagné quelque chose de dur, de précis et de coupant, une éclatante sonorité sans laquelle elle ne serait plus ravé-

---

1. Déodat de Séverac, *Sous les lauriers-roses*, p. 15. Cf. la version piano seul de la *Valse*, p. 9. H. Villa-Lobos, *Rudepoema*, p. 41.
2. *Danse du rouet*, *Jardin féerique*, *Une barque sur l'Océan*, *Concerto en sol* (p. 2), la *Valse* (éd. de piano, p. 21), *L'Enfant et les Sortilèges* (p. 26). Arpèges de haut en bas : Schumann, *Études symphoniques posthumes*.
3. Albeniz, *El Polo*. Cf. Roussel, *Segovia* et l'op. 20 sur des poèmes de René Chalupt. Falla, *Homenaja* (à Debussy).

lienne. Derrière les mille notations de détail on devine la volonté inflexible accordée aux ressources d'une industrie souveraine qui tire ses fusées à bon escient, assemble ou disperse les sonorités avec un art exquis. Ravel a discipliné la tornade romantique : ce qui était dans *Mazeppa* typhon et déchaînement des forces naturelles devient dans *Scarbo* violence artiste, cyclone concerté. 3° Il arrive que le pianisme engendre l'harmonie ; et il arrive de même que le contact avec l'instrument et ses matières — le crin, la corde, le bois, le cuivre — attise l'inspiration : c'est la réaction de la technique sur l'esprit, l'outil se servant à son tour de l'intelligence. « Il ne faut pas mépriser les doigts », écrit Stravinski[1] expliquant pourquoi il s'est mis, par pur plaisir, à travailler son propre *Piano-Rag-Music* : « ils sont de grands inspirateurs et, en contact avec la matière sonore, éveillent souvent en vous des idées subconscientes qui, autrement, ne se seraient peut-être pas révélées ». Ravel, lui aussi, veut capter le phénomène musical à sa source même, au niveau du bois et du métal vibrant. Il ne tient pas, pour parler avec Alain, à une pure mélodie dégagée des grains de la colophane, des fibres d'érable ou des boyaux de mouton ! Et comme Stravinski encore, achetant par curiosité un cembalo hongrois qu'il utilisera dans *Renard* et *Rag-time*, Ravel se laisse attirer par toutes sortes d'instruments insolites ou saugrenus : « l'éoliphone » de *Daphnis*, digne pendant de la « machine à faire le vent » de *Don Quichotte*, le « jazzo-flûte », sifflet à coulisse qui chante comme un rossignol, le piano-luthéal de *Tzigane* sans oublier toute la quincaillerie de *L'Enfant et les Sortilèges*, la crécelle, le fouet, le xylophone ; il n'y manque que la râpe à fromage ou, comme dans la *Parade* de Satie, la roue de loterie et le revolver... Très vif est le goût de Ravel pour la batterie : l'orchestre de l'*Alborada* emploie timbales, triangle, tambour de basque, tambour militaire, cymbales, grosse caisse, crotales, xylophone et castagnettes crépitantes. Quant au prélude de *L'Heure espagnole*, il est tout plein de carillons, sonnailles, grelots de mules ; les timbres mariés aux sonneries de cloches, le sarrusophone, le célesta soutenu par un roulement de tambour fabriquent ici toute une caco-

---

1. *Chroniques de ma vie*, t. I, p. 178-179. P. 14, il se félicite de composer au piano, en contact direct avec la matière sonore, comme Rimski-Korsakov le lui avait prédit. « *La matière*, cela importe d'abord... », écrit Ravel lui-même à propos de Chopin (cité par Hélène Jourdan-Morhange, p. 80).

phonie argentine. Après la *Vallée des cloches*, voici la boutique des carillons. Ravel a toujours eu un faible pour les cuivres et leurs fanfares métalliques. Pensez à l'*Éventail de Jeanne*. Et même dans *Ma mère l'oye* on croit entendre les sonneries cuivrées. Les fanfares triomphales du piano, dans le Finale du *Trio*, ne semblent-elles pas écrites pour la voix cuivrée des trompettes ? et de même les sonneries qui célèbrent Noël à la fin du *Noël des jouets*[1]. Signalons encore quelques prédilections instrumentales de Ravel : la flûte, la syrinx de Pan qui fut, avec le cor, l'instrument du spleen symboliste, la flûte qui refuse toute complicité avec l'emphase[2] déroule plus d'une fois sa bucolique et svelte cantilène, d'abord dans l'andante de *Shéhérazade*, puis pendant les danses de Daphnis, de Lyceion et des Nymphes ; c'est elle qui résonne au lever du jour derrière le murmure des sources, elle dont le berger Lammon nous conte l'origine ; il y a une flûte dans le petit ensemble instrumental des *Chansons madécasses*, et deux dans celui des *Poèmes* de Mallarmé, qui font penser à tels groupements de chambre d'Albert Roussel, par exemple *Joueurs de flûte*, op. 27 ou les *Deux poèmes* de Ronsard, pour chant et flûte, de 1924[3]. Signalons encore l'usage courant des trompettes bouchées, les fusées de clarinette, comme chez Rimski-Korsakov, et surtout, à partir de 1919, la découverte du « jazz-orchestra » dont Ravel sut exploiter d'instinct les sonorités nostalgiques et les timbres inédits. Il est vrai que Debussy y avait pensé le premier, car *Golliwog's cake-walk* est de 1908 et le finale de la *Sonate* de violon de 1916[4]. Pourtant le thème de Ramiro dans *L'Heure espagnole* est déjà rythmé comme une rag-musique. Mais c'est surtout *L'Enfant et les Sortilèges* qui met pour la première fois à contribution les blues et les fox, les procédés du music-hall, du final de Revue et de l'opérette américaine. Le scherzo du *Concerto pour la main gauche* et le *Concerto en sol*, paraissent quelque peu influencés par Gershwin. Mais il faut avouer que Ravel

---

1. Cf. les Fanfares de Dukas pour précéder la *Péri*. Debussy, le *Martyre de saint Sébastien*, prélude du *Concile des faux dieux* (partition piano et chant, p. 47-49).
2. Mallarmé, *Divagations*, p. 159.
3. A. Roussel, *Divertissement*, op. 6 (1906), *Sérénade*, op. 30 (1925), 2e *Trio*, op. 40 (1929), *Andante et Scherzo*, op. 51 (1934).
4. *La Rhapsodie pour saxophone* de 1903, œuvre de circonstance, est plus espagnole que nègre. *La Plus que lente* est de 1910. Chez Ravel : la *Valse*, p. 21. *Sur l'Herbe* (1907).

doit au jazz non pas des états d'âme ou un spleen spécifique, comme ce fut le cas des musiciens d'Europe centrale, Kurt Weill, Krenek et Schulhof, mais une technique et des « trucs » — émiettement et rabâchage, rythmes binaires, haletants ou syncopés, ainsi que dans les Blues de la *Sonate* de violon, timbres nasillards, « portando » de trombones, soupirs de saxophones neurasthéniques, harmonies savoureuses ou un peu canailles... et, pour clore l'Andante de la *Sonate*, cette septième non résolue sur *la* ♭, dominante de *Ré* ♭. La voix elle-même enfin, la voix humaine est traitée (suprême sacrilège !) pour son timbre particulier et comme un instrument quelconque, à l'exemple du piano dans l'orchestre de Stravinski : c'est ainsi que le chœur mixte à quatre voix qui chante derrière la scène au début et à la fin de la première partie de *Daphnis* compose une manière d'instrumentation vocale, un orchestre humain qui sous-tend à la symphonie, comme les seize voix de femmes aux *Sirènes* de Debussy, l'orgue continu des voix. Comme Rimski-Korsakov, Ravel traite chacun de ses instrumentistes en soliste virtuose. Les familles d'instruments s'émancipent et renoncent à l'unisson totalitaire ; le violon n'est plus le roi, et il lui arrive même d'être traité en simple harpe ou en banjo, ou en vulgaire guitare, tandis que l'archet devient, comme dans la *Sonate en Duo*, une sorte de baguette de tambour ; les cordes, jouant en pizzicato, s'essayent à évoquer la merveilleuse sécheresse andalouse, et la percussion tient le haut du pavé. Le quatuor se divise à l'extrême : c'est ainsi que pour jouer les vastes agrégations du Récit, dans l'*Alborada*, les premiers et seconds violons se divisent en six, les altos en cinq, les violoncelles en quatre et les contrebasses en trois ; et Roland-Manuel à son tour[1] commente ce Nocturne étrange de *Daphnis* où un roulement de tam-tam pianissimo soutient le trémolo des cordes, joué en sourdine et sur la touche par le quatuor infiniment divisé. De là une fluidité d'écriture, une finesse dans les timbres qui donnent à l'orchestre de Ravel, je ne sais quelle fraîcheur maritime où l'on respire le sel et le vent d'ouest. Cet orchestre dégourdi, aux détentes élastiques et foudroyantes, n'était-ce pas déjà l'orchestre souple et puissant de Liszt ?

---

1. *Op. cit.*, p. 109. Cf. E. Vuillermoz, le *Style orchestral de Maurice Ravel*, in *Revue musicale*, numéro cité, p. 22.

*Lettre à H. Jourdan-Morhange
à l'époque de la sonate violon-piano.*

encore pour le concerto.—

Pour les gammes chromatiques en glissé, rien n'est plus facile, naturellement, sur une seule corde. L'inconvénient est que, dans l'aigu, ça commence à être un peu maigre.

Peut-on faire ceci ? (je prends exprès un exemple où ni le départ ni l'arrivée ne tombent sur une corde à vide):

Et, si c'est possible, y aurait-il plusieurs manières de le faire, c'est-à-dire de changer de corde ? Pour l'orchestre, faudrait-il indiquer les

Rythmes

Les trouvailles de Ravel ne se limitent pas à l'instrument ; elles concernent encore les problèmes rythmiques, le contrepoint, l'harmonie. La rigueur du rythme est chez lui à la fois précise et discrète ; l'esprit d'obsession qui l'habite en témoignerait, et aussi son goût très vif pour la danse. Distinguons ici la polyrythmie, les formules impaires ou exceptionnellement longues, le culte du « temps faible » et les superpositions rythmiques. Les changements de mesure — si ordinaires dans la rythmique ravélienne — vont de la simple alternance entre deux formules (par exemple 6/8 et 3/4 dans la *Chanson romantique*, 2/4 et 3/4 dans la *Ronde* et le Finale de la *Sonate en Duo*[1], 3/4 et 4/4 dans *Trois beaux oiseaux du paradis*) jusqu'à la succession des mesures les plus variées. Parfois l'alternance souligne les symétries d'un refrain, par exemple dans *Tout gai* où une mesure plus longue à 3/4 termine chaque couplet à 2/4. Plus souvent la polyrythmie est moulée sur les accentuations et ponctuations irrégulières de la prose ou du vers libre : c'est évidemment le cas des *Histoires naturelles*, où Léon Guichard s'est amusé à compter les changements de mesure, particulièrement nombreux dans le *Cygne* (14 changements en 39 mesures)[2]. De cette polyrythmie prosodique, et si remarquablement opposée à la monorythmie d'un Duparc, distinguons une polyrythmie expressive : elle exprime, dans *Noctuelles*, les zigzags fous des gros papillons de nuit qui se cognent aveuglément contre les murs, titubent autour des lumières et d'un vol mou, ivres de sommeil et de vagabondages, vont se poser quelque part aux confins de la nuit ; dans *Petit Poucet* les mesures de plus en plus longues, 2/4, 3/4, 4/4, 5/4, expriment la course errante des enfants perdus dans la forêt qui essayent tous les sentiers l'un après l'autre. Expressive ou prosodique, la polyrythmie n'est autre chose chez Ravel que la fidélité scrupuleuse à la nature, la versatilité d'un discours qui vibre aux moindres mouvements de l'âme ; les notes, dans leur vivante sensibilité,

---

1. Au début du Finale du *Duo*, exactement 2 mesures à 2/4 + 1 à 3/4 (= 7 temps).
2. *Op. cit.*, p. 186.

devancent la vérité même des paroles. Ce réalisme minutieusement juxtalinéaire, qui lui est commun avec Moussorgski, contribue comme le virtuosisme dans l'ordre technique, à rompre toutes les habitudes naissantes : en nous obligeant à des réadaptations toujours nouvelles il brise les constellations rythmiques toutes prêtes à s'incruster, il empêche la musique de s'assoupir dans le ronron conventionnel d'un rythme élu une fois pour toutes, il nous entretient enfin en souplesse par l'exercice qu'il nous impose, tenant l'âme braquée vers la vérité et vers la vie[1]. — Après la polyrythmie, la métronomie. Ravel, comme Verlaine, a nourri une prédilection constante pour l'Impair, « plus vague et plus soluble dans l'air »... Influence de la métrique grecque retrouvée ? Influence de certaines danses basques, comme le zortzico à 5/8 ? Ce qui est vrai c'est que l'Impair est en quelque sorte le rythme national de la musique russe. Grand admirateur de Borodine, Ravel pouvait entendre les cinq croches dans le second mouvement de la Symphonie inachevée d'Alexandre Porfiriévitch. Les formules dissymétriques sont le type même de l'arrangement ambigu « où l'indécis se joint ». Le Finale du Quatuor, les Noctuelles sont écrits à 5/4 ou 5/8. Du Quatuor à la Rhapsodie espagnole et au Trio les recherches rythmiques se font toujours plus raffinées ; Ravel emploie davantage les très longues mesures : 7/8 dans le Martin-pêcheur et dans L'Heure espagnole[2], 7/4 dans la danse charmante des jeunes filles de Daphnis, dans Placet futile 9/8, 12/8 et même 15/8 ! Le premier mouvement du Trio, surtout, nous offre l'exemple d'une mesure étrangement oscillante à 8/8, déjà employée par Rimski-Korsakov dans Mlada[3] ; Bartok s'en servira dans

---

1. Le prélude de L'Enfant et les Sortilèges se distingue par l'alternance remarquable 8/8, 5/8, 7/8, 4/8, 3/8, 9/8, 6/8. Cf. p. 100-101 (4/4, 3/4, 2/4, 5/8). Dans la Sonate de violon (p. 5) l'alternance 6/8 (9/8)-2/4. Cf. encore Kaddisch (4/4, 5/3, 3/4), D'Anne qui me jecta de la neige, 1re Chanson madécasse, Andante du Quatuor, Alborada, Oiseaux tristes, Vallée des cloches, L'Heure espagnole, p. 93.
2. P. 5, 101 ; 7/4, p. 74 ; 9/8, p. 79 ; 9/4, p. 14 ; 5/4, p. 28, 72-73, 93 et le prélude (p. 1-5). Cf. les Épigrammes de Marot (5/4 et 7/4), Sonatine, p. 9, Chanson épique, L'Enfant et les Sortilèges, p. 84 ; Finale du Quatuor, Sainte (4/4 + 1/4), Daphnis, p. 17 (7/4) et 92-109 (5/4). Le chœur final de Snegourotchka et celui du 1er tableau de Sadko, chez Rimski-Korsakov, sont écrits à 11/4 !
3. Mlada II 4 et IV 1 (8/4). Bartok, Mikrokosmos VI, nos 140, 151 et 153 ; Duos pour violons no 19 ; Chants de Noël roumains I 7, II 6 ; Suite dansée IV.

deux pièces en rythme dit « bulgare ». Parfois la liberté et la complexité rythmiques se font si grandes que toute scansion toute ponctuation semblent s'effacer : et voilà les rythmes fuyants, obliques de la deuxième *Chanson madécasse*, les rythmes capricieux de la troisième, les rythmes ondoyants de *Barque sur l'Océan*, les rythmes aériens de la *Vallée des cloches*, les rythmes défaits, dénoués des *Oiseaux tristes*. — Ravel est, comme Fauré, le maître du « contretemps ». Il est courant que la barre de mesure, chez lui, coupe une phrase au beau milieu[1] ; que l'accent mélodique contrarie l'accent métronomique ; le musicien joue ce jeu délectable d'opposer le rythme à l'expression naturelle du chant. Dans *Noctuelles* et la *Vallée des cloches* c'est la main gauche qui contrarie la droite. Les accents imprévus, placés sur des temps faibles dans les Blues de la *Sonate* de violon ou le scherzo de la *Sonate en Duo*[2], rappellent les « Augures printaniers » du *Sacre du printemps* ; dans la *Sonate* des accents trompeurs créent en régime ternaire l'impression du binaire tandis que dans le *Concerto en* Sol (où l'Andante, avec ses basses valsées, se contredit lui-même) ils créent en régime binaire l'impression du ternaire[3]. Dans le scherzo du *Concerto en Ré* des notes syncopées, erratiques, flottent à contretemps sur les basses obstinément binaires ; ces équivoques rythmiques qui sont déjà dans l'*Alborada*, trahissent leur origine négro-américaine. Ailleurs, comme dans la *Fugue* du Tombeau, des accents délicats et faussement maladroits donnent à la mélodie quelque chose de suspendu, d'hésitant et de laby-rinthique qui est purement ravélien : un léger décalage des valeurs suffit ici à créer le charme. Des superpositions métriques qui sont de véritables contrepoints de rythmes donnent lieu parfois à de terribles enchevêtrements — car Ravel, comme il est l'ami du « temps faible », l'est aussi du « trois pour deux ». Heureux encore quand les formules affrontées sont parentes ou coextensives, l'une étant simple, par exemple, et l'autre composée : tel est le cas typique du scherzo du *Quatuor*, où 3/4 est superposé à 6/8 ; la superpo-

1. *Prélude à la nuit* et *Malagueña*, *Pantoum*, p. 15-17, *Daphnis*, p. 30 ; *L'Enfant et les Sortilèges*, p. 1-3.
2. *Sonate*, p. 13 ; *Duo*, p. 6-7.
3. *Sonate*, p. 25, 30 (et 16-17, 18-19) ; *Concerto*, p. 23, 25. Cf. *Daphnis*, p. 41 ; la 2e *Épigramme* de Marot et les équivoques de la 6e *Valse noble*. Sur l'Andante du *Concerto*, F. Goldbeck, *art. cit.*, p. 198.

sition du binaire et du ternaire dans la *Valse*, de quatre doubles croches (ou deux triolets de doubles croches) à un triolet de croches dans *Noctuelles*, de trois croches à deux triolets de doubles croches dans le Prélude du *Tombeau de Couperin*, de six triolets de doubles croches, deux triolets de croches et quatre croches dans la cadence finale des *Oiseaux tristes*, de 6/8 à 2/4 dans la *Feria* de la Rhapsodie et le quintette final de l'*Heure espagnole* qui confronte le chœur à la habanera, résout encore des équations assez simples ; telle aussi dans *Oiseaux tristes*, la confrontation de 4/4 et de 12/8 qui est plutôt pour l'œil et pour l'écriture que pour l'oreille[1]. Autrement complexe le cas de l'intermède du *Pantoum*[2] où le 4/2 du piano (qui suppose des valeurs très longues) est sous-tendu aux mesures initiales à 3/4 battues par les cordes, mesures dont il ne recouvre pas un nombre entier puisqu'il s'en découpe exactement huit temps (soit deux mesures et deux tiers).

---

1. La *Valse*, p. 2, 3, 4 ; *Quatuor* (réduction à 2 mains), p. 16-17, 24 ; 7ᵉ *Valse noble*, p. 18-19.
2. *Trio*, p. 15-16. Ensuite ce sont les cordes qui adoptent 4/2, le piano qui reprend 3/4.

Costumes pour la Valse (Derain).

De là l'indépendance apparente des parties, le relâchement de tous les synchronismes ; et c'est miracle si au bout du compte les trois instrumentistes se retrouvent ensemble. Mais Ravel le chronométreur n'a pas perdu le contrôle de la simultanéité — car tout ce désordre est minuté, réglé, et ajusté à la seconde. Rares sont les cadences proprement dites, c'est-à-dire les effusions sans barres de mesure où la fondante coulée des notes, liquéfiant la règle du nombre et du mètre et toute cette géométrie des rythmes, atteint la limite extrême de la détente. La déliquescence de la métrique caractérise Skriabine, mais non Ravel. Il n'y a pas de « senza tempo » au pays d'Harmonie, et même les arpèges de petites notes dans le premier mouvement du *Trio* sont des arpèges « mesurés » ; ici nul n'entrera s'il n'est géomètre et discipliné. Car le temps musical a une loi et le silence lui-même, comme dit Alain, est compté. La musique n'est-elle pas, selon Stravinski, un certain ordre dans la durée, une organisation ou construction des sons suivant certains algorithmes ? La Habanera est bien, à cet égard, comme le résumé de toutes les préférences de Ravel, car la Habanera, bien qu'étant à 2/4, est la succession du ternaire et du binaire : un triolet de croches suivi de deux croches. La précision dans l'équivoque, la rigueur évasive... en cela Ravel rejoint son maître Fauré. Mais au lieu que toute la dilection de Fauré est allée aux souples mesures composées, et notamment à la fluide barcarolle, Ravel a voulu les siennes impérieuses, anguleuses et insistantes ; au lieu que Fauré adopte pour chaque pièce un rythme uniforme, Ravel a décalqué minutieusement son diagramme sur les tressaillements les plus légers de la nature.

Harmonie

L'harmonie de Ravel est tout entière commandée par une curiosité insatiable qui le porte vers les combinaisons rarissimes et les agrégations de plus en plus quintessenciées. Ravel est le spécialiste des accords appoggiaturés, et notamment de celui qui manque l'octave d'un demi-ton — la savoureuse, sémillante septième majeure. La septième majeure, autrement dit la fausse note... oui, c'est bien elle qui remplit

de son acidité et de ses scintillements la musique de Ravel[1].
elle qui vibre encore dans la première Chanson populaire
espagnole de Manuel de Falla. La parenté qui existe par la voie
des renversements entre la famille des septièmes et celle des
secondes[2] explique le goût bien connu de Ravel pour l'intervalle de seconde majeure. Dans l'*Alborada*, *L'Enfant et les
Sortilèges* on voit la septième majeure se recroqueviller en
seconde mineure. Le pianisme du pouce a pu favoriser
cette prédilection : ainsi s'expliqueraient ces grandes « octaves
de secondes » que la main prend aux deux extrémités à la fois
en se posant à plat et dans toute son étendue sur le clavier.
Rugueuses, mordantes secondes ! et comme Ravel a aimé cet
épice précieux ! Tantôt, dans *Scarbo*[3] et *L'Heure espagnole*,
il les emploie consécutives, en plissements parallèles et rudes
successions — car il a inventé les traits de secondes comme
Liszt les gammes chromatiques d'octaves. *Noctuelles* préfère
les jeter une par une dans l'aigu. Plus souvent elles toussent
dans le grave en staccatos ironiques pour signifier Belzébuth,
le « chien sombre » du *Noël des jouets*, et la Bête poussive de
Ma mère l'oye, et don Iñigo, le soupirant obèse de *L'Heure
espagnole*, et le vieux galant de *Nicolette*, et tous les monstres
enroués, mugissants ou bronchiteux de l'imagination ravélienne. Apres secondes ! Ici elles grincent, pour parler avec
Satie, « comme un rossignol qui aurait mal aux dents » et
elles créent à la mélodie, par leurs durs frottements un sol
caillouteux qui la blesse ; ce ne sont que dissonances, épines
et rocailles. Mais elles savent aussi se faire glissantes et
fluides, comme dans *Jeux d'eau*, *Petit Poucet*, la huitième
Valse noble et le *Martin-pêcheur*. D'autres fois elles hérissent
les notes d'une espèce de frémissement pudique qui est
comme la chair de poule de l'émotion — et c'est la musique

---

1. *Alborada, Noctuelles, Oiseaux tristes* (*Miroirs*, p. 5, 12, 32) ; *Concerto
en Sol* ; *Concerto* pour la main gauche (p. 23-25) ; *Nicolette* ; *Asie* ; 1re
Valse noble (p. 3) ; *Chanson de la mariée ; Introduction et allegro* (piano
seul, p. 10) ; *Daphnis* (p. 32, 52) ; *Heure espagnole* (p. 14, 18-19, 30) ; *L'Enfant et les Sortilèges* (p. 33).
2. Cf. Bela Bartok, *Mikrokosmos*, n° 144 (Cf. 132, 134-135, 140). *En
plein air*, I et IV *(Musiques nocturnes)*.
3. *Gaspard de la Nuit*, p. 37-38. Dans le même numéro de la *Revue musicale* (numéro cité, p. 35 et 41) Alfredo Casella et H. Gil-Marchex citent
tous deux cet exemple, le premier au point de vue de l'harmonie, le second
au point de vue de la technique pianistique.

frissonnante des *Valses sentimentales*. Le plus souvent la Seconde figure à l'intérieur d'un accord qu'elle assaisonne de sa vibration rauque ou piquante comme un mordant dont la petite note continuerait à dissonner ; de là ces paquets de notes très serrées tels qu'on les rencontre chez Albeniz et qui restent suspendus au chant comme de lourdes grappes de raisin[1]. Il est bien possible que Ravel ait goûté pour la première fois chez Borodine et plus encore chez Moussorgski la saveur aigrelette de ces secondes ; mais elles apparaissent surtout chez le douloureux Debussy des dernières années, dans *Gigues* et *Rondes de printemps*, dans *Jeux*, la *Boîte à joujoux*, les *Épigraphes antiques* et les *Douze Études*, lorsque l'écriture commence à se découper en dents de scie, devient corrosive et méchante, fait racler partout les violons mélodieux[2]. Si la seconde fut chez Debussy le grincement de la douleur, elle fut plutôt pour Ravel la frileuse pudeur — car elle est le plus petit intervalle possible, celui qui rend toute mélodie atonale et laisse la moindre place aux évolutions du chant. — Au bout de la septième majeure était le système bitonal, du moins pour un entendement cynique qui ne craint pas de déduire jusqu'à l'absurde toutes les conséquences de la « note à côté ». L'appoggiature ravélienne, observe Casella, se résout en général sur d'autres appoggiatures ; mais si nous supposons la résolution indéfiniment retardée, rien ne nous empêchera de traiter les deux extrémités de l'accord comme appartenant à deux tonalités hétérogènes qui évoluent parallèlement. C'est le cas au piano dans le « Perpetuum mobile » de la *Sonate* de violon. Il s'ensuit que la bitonalité n'est pas un cas particulier du style atonal, ni même une polytonalité à deux, mais qu'elle est au contraire, deux fois tonale, étant aussi sensuelle que la polytonalité est ascétique ; elle a gardé la nostalgie du « système de référence » et joue d'une résolution sans cesse différée dont cet ajournement même relève le goût. La dissonance n'est-elle pas le dépit amoureux de l'accord parfait ? Ainsi dans ces trois mesures des *Saudades do Brazil*[3] où une cadence parfaite laisse apparaître, après maints scandales, le stratagème

1. *L'Enfant et les Sortilèges* (piano et chant), p. 55. *Chanson romantique.* La *Valse* (piano seul, p. 9).
2. Cf. K. Szymanowski, *Études* pour piano, op. 33, n° 2.
3. Darius Milhaud, *Ipanema* (Saudades n° 5).

voluptueux de l'agrément. Mais nous aurons eu peur...La polytonalité proprement dite n'apparaît guère chez Ravel que dans les *Poèmes* de Mallarmé[1]. Quand, pour la première fois, à la fin des *Entretiens* de la Belle et de la Bête, Ravel confronte deux harmonies très éloignées l'une de l'autre, en haut et en bas *Fa* majeur, doucement enveloppant, au milieu une septième de dominante qui feint d'aller vers *Si* et dont le *la* ♮ hérisse un peu le *la* naturel de *Fa* majeur, c'est avec le sentiment délicieux de jouer d'un pseudo-danger, et l'espoir d'une résolution certaine — aussi certaine que le mariage de la Belle et du Prince charmant. Au début de *Daphnis* le « thème des Nymphes » inscrit par-dessus une pédale de tonique *(La)* un *ré* ♮ qui pourrait appartenir à une toute autre harmonie. Ravel tend à l'extrême la feinte bitonalité. On admirera ici la superbe insouciance du *do* ♮ qui se prélasse tranquillement par-dessus une septième de dominante en route vers *Do* majeur. Mais soyez aussi sans inquiétude, car les deux tons se rejoindront, comme le prouve la danse même des Nymphes ; et aussi ce petit intermède bitonal de la Septième *Valse noble* (en haut *Mi*, puis *Fa* ♮ ; en bas *Fa*, puis *Sol*[2]) qui finit par une académique septième de dominante de *Fa* majeur où confluent les deux tons. Le cas le plus simple chez notre praticien des pédales lancinantes est celui d'une basse obstinée qui persiste dans sa fixité à travers toutes les modulations du chant. L'harmonisation populaire, par l'emploi qu'elle fait de la musette et du biniou, n'est-elle pas sous ce rapport la mère de la bitonie ? C'est ainsi qu'au début de la *Sonate* de violon une pédale de *Mi* ♭ s'obstine en dissonance sous un chant en *Sol* majeur, qu'un *ré* ♮ aberrant, dans *L'Enfant et les sortilèges* et *Daphnis*, vient se frotter contre une basse opiniâtre en *La* majeur[3]. La pédale est donc tenue jusqu'au moment où les étincelles jailliront, et c'est l'oreille qui sous-entend la résolution en la convoitant. La bitonie, comme la polyrythmie, n'est-elle pas l'extrême limite de l'indépendance dans le rapport des voix contrepointées ? Dans le prélude de *L'Enfant et les Sortilèges* s'affirme capricieusement la mutuelle liberté

---

1. Et *Tzigane*, p. 3 (cadence initiale du violon solo).
2. *Valses nobles*, p. 18-19. D'où les frottements: *do* contre *do* ♮, *ré* contre *ré* ♮. Dans *Daphnis*, p. 39, frottement de *si* ♭ contre *si*. Cf. p. 89.
3. *Daphnis*, p. 95-100, 105, 112-113. Comparez les cadences sur pédale du *Prélude à la nuit. L'enfant et les sortilèges*, p. 36.

tonale et rythmique des quintes successives, de la cantilène de contrebasse par-dessous et de la voix enfantine. De là à écrire froidement avec deux armures, pour faire scandale, il n'y avait qu'un pas, pas que les Acrobates de *Parade*, chez Satie, avaient presque franchi...[1] Disons une fois pour toutes que le violon des *Blues* joue en *Sol* majeur, et le piano en *La* bémol et l'on verra bien si le mélange dissonant est aussi détonant ! Ce défi à l'unité tonale peut s'expliquer par la simplicité de l'orthographe, et comme un moyen d'économiser altérations et accidents. Mais surtout il correspond à cette gourmandise de timbres inaudibles qui est si vive chez Ravel : c'est ce qu'on peut appeler la « bitonie de sonorité », bitonie particulièrement savoureuse dans ces traits parallèles dont l'un est comme la tranche ou le reflet perspectif de l'autre. On les entend au début du *Concerto* en Sol et dans le jeu du Chat de *L'Enfant et les Sortilèges*. A cette doublure détraquée qui n'est ni l'unisson ni l'octave, les flûtes du *Boléro*, doublées par le hautbois comme par leur ombre, doivent le relief, l'étrangeté du profil et une espèce d'éclairage à l'envers : on dirait le cliché au lieu du positif. La cacophonie des horloges au début de *L'Heure espagnole* est une cacophonie multitonale. Les deux mains jouant l'une sur les touches noires du clavier et l'autre sur les blanches, comme chez Villa-Lobos, fabriquent un petit bruit d'os et de tringle. Déodat de Séverac, pour sa part, a bien connu ces sonorités, auxquelles *Cerdaña* doit maints effets tout impressionnistes de brumeux et de lointain[2]. C'est ainsi qu'une froide audace peut conduire la sensibilité la plus « tonale » à explorer la « terra ignota » du laid et de l'inentendu. — Il manquerait encore quelque chose au langage de Ravel sans les fraîches sonorités de la onzième naturelle, long intervalle qui est comme un arceau gracile lancé d'une tonique à la sous-dominante de l'octave supérieure et que Ravel doit à l'utilisation du onzième

---

1. Deux armures : *L'Enfant et les Sortilèges*, p. 6-8 (où l'on pense à *Laideronnette*), 22, 23, 60-61, 70, 82-83, 94 ; Scherzo de la *Sonate en Duo ;* 2e et 3e *Chansons madécasses, Concerto* en sol, p. 51 ; *Fanfare* de l'*Éventail de Jeanne*. Cf. Bela Bartok, 1re *Bagatelle*, op. 6, qui avait alors la valeur d'une expérience ; *Esquisses* op. 9, n° 2 ; *Duos* pour violons n°s 11, 33, 34 ; *Mikrokosmos* n°s 70, 99, 105, 106. La bitonie dissone savoureusement dans la 3e Mazurka op. 50 de K. Szymanowski. Cf. *Masques* III ; *Étude* op. 33[3].

2. *Cerdaña*, p. 20-21 et 26 (Les Carabineros) : Souvenir de fêtes à Puigcerda.

harmonique[1]. On dirait un triton monté sur des échasses, et Ravel l'emploie, avec le pli imperceptible de l'humour au coin des lèvres. Mais il faudrait citer tout *Scarbo* et le *Gibet*, et le *Soupir* des *Poèmes* de Mallarmé si l'on voulait savoir quelles créatures engendre une subtilité harmonique qui n'a rien de commun avec l'inflation[2] : agrégations diaboliquement complexes, accords aux notes pressées et lourdement accidentés, « accords d'accords », curiosités tératologiques et suaves monstruosités enfantées par une sorte de passion infinie. Lui, le musicien divinement simple de l'*Épitaphe* de Ronsard, comment fait-il pour, à volonté, décongestionner d'un coup ses portées ou les couvrir de logographes mystérieux ?

Modes

Ces raffinements expliquent la saveur modale si prononcée du langage de Ravel. André Suarès affirme[3] que Debussy se meut plutôt dans le majeur, Ravel dans le mineur. Cette symétrie semble factice. Ravel en vérité n'est ni dans le majeur ni dans le mineur : plus que la redécouverte de la monodie antique (car il n'est guère archéologue), l'exemple de Satie l'influence : car la réhabilitation des modes grégoriens dépréciait en fait la polarité académique du majeur et du mineur. Rien n'est plus caractéristique à cet égard que le régime ambigu de la *Sonate en Duo* avec l'arpège de son thème A qui est mineur en montant et majeur en descendant, ou au contraire, et oscille ainsi entre les deux modes de *La* selon l'altération instable de sa médiante : c'est donc la tierce qui décide du majeur ou du mineur. La *Vocalise-Habanera en Fa mineur*, quand elle passe en *Fa* majeur, garde son *mi* ♭ et son *ré* ♭ ; seul le troisième degré est haussé d'un demi-ton. Dans le scherzo intermédiaire du *Concerto* pour la main

1. *Quatuor*, 1ᵉʳ mouvement. *Entretiens* de la Belle et de la Bête (partition de ballet, p. 22). *Le Grillon. Nahandove*, p. 7. *Heure espagnole*, p. 51, 95-96. *Daphnis*, p. 1, 39, 84. *L'Enfant et les Sortilèges*, p. 4, 16, 36, 41, 49, 50, 69, 71. *Sonate*, p. 26-27. *Concerto en* Ré, p. 9. *Feria* (*Rhapsodie espagnole*, 4 mains, p. 24). Cf. D. de Séverac, *Le cœur du moulin* (piano et chant, p. 139, 152).
2. *Daphnis*, p. 36, 39. *Soupir, Surgi de la croupe* (Poèmes de Mallarmé, p. 4, 11).
3. *Pour Ravel* (*Revue musicale*, numéro cité, p. 7). Roland-Manuel, p. 209 : Ravel n'a même pas eu la culture modale d'un Fauré, d'un Messager, d'un Saint-Saëns et de l'école Niedermeyer.

gauche, l'équivoque est verticale, c'est-à-dire bitonale et selon la simultanéité : *Mi* mineur en haut, *Mi* majeur dans les basses de l'orchestre[1]. Le plus souvent l'hésitation est entre le mineur et son relatif majeur : tel le jeu que joue le *Trio* avec *La* mineur, par lequel il débute, et *Do* majeur sur lequel il conclut ; *Mi* mineur, dans le Prélude du *Tombeau de Couperin*, pourrait être *Sol* majeur; et de même dans la *Toccata*. Au couple *Sol* majeur-*Mi* mineur du *Tombeau* et de la troisième *Valse noble* répond le couple *La* mineur-*Do* majeur de *Ma mère l'oye*. La main droite du *Rigaudon*, dans l'intermezzo, chante incontestablement en *Mi* ♭ majeur, quoique les basses affirment la tonique de *Do* mineur. L'indécision modale règne dans la *Chanson épique* ! Parfois Ravel se plaît à des équivoques tonales plus subtiles et qui, comme les équivoques rythmiques, dupent l'oreille par leur précision évasive : en dépit de l'armure on jurerait que la *Passacaille* en *Fa* dièse mineur débute en *Do* dièse et la conclusion sur la dominante fortifie cette illusion ; seul un *ré* ♮ nous départagerait, mais comme par hasard il n'y en a pas : Ravel, jusqu'à la dix-septième mesure, évite malicieusement ce sixième degré qui lèverait trop vite l'amphibolie; d'où une inclination bien naturelle à escamoter l'accent mélodique qui, dans la première mesure, porte sur la tonique au second temps. L'illusion est encore plus trompeuse dans le *Kaddisch* où l'on peut prendre la dominante pour la tonique : une pédale de *sol* entretient longtemps le doute autour de son identité, jusqu'à ce que le ton de *Do* mineur se déclare sans équivoque. Et voici, dans *L'Heure espagnole*[2], une ravissante habanera modale dont le chant en *Fa* dièse mineur et l'harmonisation de quartes-et-sixtes parallèles (puis d'accords parfaits) reposent sur une basse en *Si* mineur. Même situation ambiguë, au début de la mélodie intitulée *Sur l'herbe* entre *Do* ♮ mineur, le ton nominal, c'est-à-dire titulaire, et un *Sol* ♮ fictif où le *la* serait naturel. C'est plus qu'il n'en faut pour établir la désaffection de Ravel à l'endroit du sacrosaint dualisme des gammes. Cette désaffection elle-même rendait évidemment caduque l'altération artificielle de la sensible, destinée à différencier le mode mineur de son relatif ; en fait Ravel ne hausse la note sensible que par ironie, comme dans la *Chanson romaine* où

---

1. B. Bartók, *Mikrokosmos*, n⁰ˢ 59 et 103.
2. Édit. piano et chant, p. 65. Cf. la *Chanson à boire*.

si ♮ est évidemment affecté ; par romantisme, comme dans *Kaddisch* dont le *Do* mineur exige une inflexion spécialement pathétique ; par pittoresque enfin, comme dans *Tzigane* qui emploie la gamme mineure si pathétique des *Rhapsodies* de Liszt. La sensible étant pour ainsi dire inexistante chez Ravel[1], comme elle est presque inexistante chez Fauré, nous ne citerons que ce début exquis de la Troisième *Valse noble* où *ré* bécarre sourit en *Mi* mineur avec une sorte de mélancolie lointaine et de grâce fanée. Il faut le dire, l'indifférence du septième degré à l'attraction passionnelle de la tonique résume à sa manière cette volonté d'impassibilité qui n'est chez Ravel qu'une extrême pudeur ; elle donne aux cadences[2] ravéliennes leur patine inimitable, leur charme fait ensemble de retenue et de fausse raideur — car l'abandon lui-même a quelque chose de mesuré. Ces locutions ne lui sont jamais dictées par une théorie : guidé par le seul instinct musical il emploie des modes où l'érudit identifierait sans peine soit l'hypophrygien (mixolydien ecclésiastique) comme dans la Troisième *Mélodie grecque* où le mode de *Sol* a pour septième degré un *fa* naturel ; soit le phrygien comme dans la deuxième où c'est le second degré qui est aberrant (*la* ♮ en *Sol* dièse) ; soit surtout l'hypolydien, reconnaissable à la fraîcheur de son quatrième degré, comme dans la *Chanson des cueilleuses de lentisques* et la *Ronde* où *La* majeur admet un *ré* ♯[3]. De là

1. Par exemple : *La* avec *sol* ♮ (Pavane de *Ma mère l'oye*, Pastorale de *L'Enfant et les Sortilèges*, Trio, *Malagueña*) ; *Fa* avec *mi* ♭ (*Trois beaux oiseaux du paradis*, *Vocalise*, *Heure espagnole*, p. 94) ; *Sol* avec *fa* ♮ (*Chanson espagnole*) ; *Si* ♭ avec *la* ♭ (*Chanson romantique*) ; *Sol* ♯ avec *fa* ♯, *Do* ♯ avec *si* (*Épigrammes* de Marot), etc.
2. Cf. exemples de cadences p. 187.
3. *Daphnis*, p. 1, 7-8, 16, 92. Cf. *Nahandove* (*Chansons madécasses*, p. 7 et p. 17) ; *Sonate* de violon, p. 20-21, 24 ; *Concerto en* sol, p. 49 ; *Concerto pour la main gauche*, p. 21-22 ; Finale du *Trio*. *Ré* avec *sol* ♯ : *Concerto* pour la main gauche, p. 24-25 ; *Sonate*, p. 11, 16-17, 31 ; *Daphnis*, p. 74, 77. *Sol* avec *do* ♯ : *Tombeau de Couperin*, p. 23 (Menuet), 24 (Toccata) ; *Menuet* sur le nom de Haydn ; *Sonate*, 1er mouvement, et p. 24, 29, 31 ; *Concerto en* sol, 1er et 3e mouvements. *Mi* avec *la* ♯ : *Concerto* pour la main gauche, p. 12-15 ; *Daphnis*, p. 88 ; *Sonate*, p. 20. *Do* avec *Fa* ♯ : *Daphnis*, p. 20. *Mi* ♭ avec *la* ♮ : *Daphnis*, p. 23. Cf. l'admirable sujet de la *Fantaisie en* sol pour piano et orchestre de Fauré. Roland-Manuel considère comme les deux modes générateurs de la mélodie ravélienne le mode médiéval de *ré* (*Menuet antique*, *D'Anne jouant de l'épinette*, *Daphnis*, *Duo*, *Concerto*) et le mode andalou de *mi* (*Habanera*, *Rhapsodie espagnole*, *L'Heure espagnole*, *Soupir*) ; secondairement il use des échelles défectives de Java (*Sainte*, *Concerto en Ré*, *Laideronnette*). Les accords seraient la projection de ce mélos sur l'ordonnée harmonique (p. 213).

l'insistance indiscrète du triton dans le *Concerto en* Ré, le *ré*
dièse bitonal de *Daphnis*, l'acide *ré* dièse de la *Forlane*.

Contrepoint

La tentation est grande, dans ces conditions, de définir
Ravel comme le représentant par excellence de l'écriture
« verticale » et de la sensualité harmonique. Alfredo Casella
lui-même souligne surtout son aversion pour les épaisseurs
polymélodiques. Il y a du vrai en cela. Pourtant Ravel mani-
feste dès sa jeunesse une évidente virtuosité contrapuntique :
faut-il rappeler le contrepoint si adroit, quoique un peu
factice, qui dans *Menuet antique* superpose au thème du
menuet le thème du trio ? Vingt ans plus tard, dans le Menuet
du *Tombeau de Couperin*, Ravel fera l'inverse, mais avec plus
d'aisance, de naturel et d'ingéniosité en brodant le thème de
la musette par-dessous celui du menuet : ici c'est le trio qui
se mue en accompagnement. Et qui n'admirerait encore le
contrepoint de la Belle et de la Bête, tout simple, et sans rien
de gourmé ni de forcé ; les charmants canons à l'octave dans
l'intermezzo de *Laideronnette*, ou à la quinte dans la *Forlane*[1] ?
On songe au contrepoint du juif riche et du juif pauvre des
Kartinki de Moussorgski. Et même là où il n'y a qu'une ligne
chantante, comme dans le *Jardin féerique*, nul ne se mépren-
drait au délié expressif et tout fauréen des basses. Par de
grandes œuvres enfin comme le *Quatuor* et le *Trio* (surtout
dans sa *Passacaille*) on peut voir que les plus lourdes parures
d'accords n'excluent nullement l'écriture horizontale. Mais
il y a mieux, et le chœur des bêtes, à la fin de *L'Enfant et les
Sortilèges*, avec ses imitations canoniques et son grouillement
de voix superposées révèle un polyphoniste digne des maîtres
de la Renaissance[2]. D'autre part cet amateur d'exercices et de
problèmes gratuits aimait trop les anagrammes et calligrammes
pour ne pas apprécier quelques-uns de ces jeux contrapun-

---

1. *Tombeau de Couperin*, p. 12-13. Cf. le *Menuet*, p. 22. *Ma mère l'oye*,
p. 21 et suiv., 35. *La Flûte enchantée*.
2. P. 100. Cf. p. 23 et 35. *Daphnis*, p. 15. *Valse* (édit. piano solo, p. 17).

tiques qui sont, à dire vrai, plutôt pour l'œil que pour l'oreille ; la *Berceuse* sur le nom de Fauré en est la preuve, et plus encore le *Menuet* sur le nom de Haydn qui s'essaye à diverses combinaisons difficiles : la main droite joue le thème en montant, puis la main gauche en descendant, et ensuite à reculons ; enfin la main gauche renverse simultanément l'ordre des notes, qui est pris à reculons, et le sens des intervalles sur l'échelle, qui sont pris à l'envers, quoique égaux, par rapport à l'initiale *Si* (H) choisie comme axe : cette symétrie spéculaire, bien entendu, est moins auditive que graphique et optique ! Nous avons signalé le travail de renversement contrapuntique auquel donnent lieu, dans le premier mouvement du *Quatuor*, le débat des thèmes A et C, dans l'*Allegro* pour harpe la collision de C et de B, dans la *Feria* de la *Rhapsodie espagnole* le conflit de C et de D, dans la *Sonate en Duo* enfin les échanges perpétuels entre violoncelle et violon. Surtout Ravel est passé maître dans l'art de faire dialoguer deux parties, deux voix frêles et malicieuses, deux monodies bavardes qui se répondent, parlent ensemble, restent suspendues l'une à l'autre entre ciel et terre : la Fugue du *Tombeau de Couperin*, les *Trois beaux oiseaux du paradis*, *Rêves*, la *Berceuse*, le premier mouvement de la *Sonate* de violon, le duo de l'enfant et de la princesse dans *L'Enfant et les Sortilèges* et toute la *Sonate en Duo* prouvent à l'envi cette spécialité inégalable de notre musicien.

Gageure et artifice... maintenant que nous avons retrouvé ces deux aspects du métier de Ravel dans les domaines les plus variés — virtuosités instrumentales, rythmique, harmonie, contrepoint, voilà qu'un doute nous prend : si le technicien de tant de techniques n'était lui-même qu'un génial funambule ? Le technicisme, la perfection instrumentale, l'habileté manuelle, la domination absolue de la matière sont ordinairement des symptômes de décadence. C'est cette souplesse ou docilité même de la matière qui est inquiétante, car la virtuosité n'est bien souvent que la «virtù» des épigones, comme la préciosité est la limite du bon et du mauvais goût. L'esprit jongleur, qui a rendu l'outil tout à fait obéissant, joue avec les difficultés, en crée d'imaginaires et s'éprend de colifichets baroques. Il nous reste donc à retrouver, derrière tant de maîtrise, ce précieux mouvement du cœur sans lequel la musique toute entière ne vaudrait pas une heure de peine, et qui, comme l'esprit du Seigneur, ne vient pas dans une lourde tempête, mais dans un souffle léger.

Appassionato

« *Où le cœur n'est pas, il ne saurait y avoir musique.*»
(Pierre Iliitch TCHAIKOVSKI)

Il est entendu que l'art n'est qu'un délicieux mensonge [1], le plus charmant de tous les mensonges ; et que les faux bijoux sont bien plus beaux que les vrais. Cela peut se dire. Tout peut se dire. Et il faut d'ailleurs reconnaître que Ravel lui-même a fait ce qu'il a pu pour donner créance à ces brillants paradoxes. Avec Gœthe Ravel eût dit volontiers: il n'y a d'éternel que l'œuvre de circonstance. Il affecte souvent d'écrire sur commande : le *Prélude* de 1913 pour le concours de lecture à vue du Conservatoire, *Frontispice*, *Manteau de fleurs*, la *Berceuse* sur le nom de Fauré, le *Menuet* sur le nom de Haydn, la *Sonate en Duo* dont le premier mouvement fut écrit pour le « Tombeau de Debussy », le *Kaddisch* enfin, sans compter les trois cantates, virent le jour au hasard des occasions ; et même *L'Enfant et les Sortilèges*, après tout, on ne peut dire qu'il soit né d'un instinct irrésistible et spontané de création [2]. Composer sur un thème donné et se plier à une convention, voilà son fort et sa grande coquetterie, voilà un nouveau côté valéryste de sa nature. Qu'il eût aimé travailler, comme Haydn et Lully, pour les divertissements princiers ! « La maison se charge des réparations harmoniques », plaisante un jour le bon Satie [3]. « Spécialité de remaniement de musique... Une symphonie ? Voilà, madame. — Elle n'a pas l'air très amusante. — Nous pouvons vous la donner arrangée en Valse, et avec paroles. » Il exagère, le Socrate d'Arcueil,

---

1. Alain, *Préliminaires à l'Esthétique*, p. 239.
2. Les *Chansons madécasses*, la *Fanfare* pour Mme Jeanne Dubost, *Boléro* sont des commandes.
3. P.-D. Templier, *op. cit.*, p. 34.

A l'hôtel de la Mamounia, à Marrakech (1935).

mais Ravel humorise lui aussi, pour nous scandaliser, tant est grande son envie de taquiner le fatalisme romantique, ce fatalisme qui assujettit tel sentiment à telle forme exclusive, irremplaçable, prédestinée d'expression : ainsi l'émotion, chez Chopin, est née pour le piano, parce que c'était elle et parce que c'était lui ; et on ne concevrait pas, chez Duparc, qu'elle pût s'exprimer autrement que par la voix. Ravel se rit de ces élections privilégiées, imprescriptibles. Ravel transcrit lui-même très volontiers ses propres œuvres, à ce point qu'il devient parfois difficile d'en assigner avec certitude la version originale ; et ce n'est pas seulement pour le plaisir d'essayer sur elles les couleurs instrumentales[1] (ce plaisir, il le partage avec Liszt), mais c'est aussi parce qu'en somme il lui est indifférent qu'une musique soit écrite pour la trompette, le banjo ou le grand orgue. Une musique est une musique, voilà tout, et n'importe quel instrument ferait aussi bien l'affaire, dégageant par son timbre propre, ses doigtés, son registre, telles sonorités imprévues ; des arrangements « pour divers instruments » qu'un reste de préjugé romantique nous fait juger sacrilèges ne l'eussent donc pas choqué *a priori*. *Menuet antique* et la *Pavane pour une infante* existent ainsi à la fois en version orchestrale et pianistique. L'*Alborada, Barque sur l'Océan* sont instrumentés, et la *Habanera* avait été écrite pour deux pianos avant de figurer symphoniquement dans la *Rhapsodie espagnole*. Le *Tombeau de Couperin* (sauf Toccata et Fugue), *Ma mère l'oye* et *Adélaïde* sont tous trois devenus des ballets[2]. Mais il arrive aussi que la version de piano soit le deuxième état, et non le premier : Ravel s'amuse à réduire lui-même la grande *Valse* de 1919 pour piano à deux mains et il en fait sous cette forme un splendide solo de concert dont l'intérêt pour les doigts égale celui des plus magnifiques transcriptions[3] : celle de la *Fantaisie et fugue* pour orgue de Liszt par Busoni, celle de l'Andante de la *Faust symphonie* par Liszt lui-même... Le grand créateur qu'est Ravel ne

---

1. A. Cortot, La *Musique française de piano*, II, p. 19 ; p. 45 il fait état d'une version pianistique de l'*Allegro* pour harpe qui est en réalité de M. Lucien Garban.
2. Les *Chansons hébraïques, Don Quichotte à Dulcinée* sont également orchestrés. Il existe trois éditions de *Tzigane* : pour luthéal, piano, orchestre.
3. Il transcrit lui-même pour piano seul *Daphnis* et *L'Heure espagnole*, pour piano et chant *Shéhérazade*.

dédaigne pas non plus d'instrumenter la musique des autres : comment négliger ici ses éblouissantes orchestrations[1], dont la plupart sont inédites ?

Les masques

Il y a dans ces paradoxes sur la musique conventionnelle et l'interchangeabilité des différents modes d'expression une bonne part de défi. Ravel humorise, car il a ses raisons pour exorciser le romantisme. Ravel donne le change, Ravel détourne l'attention ; Ravel, comme Satie, comme Stravinski et tous les grands novateurs brouille un peu les pistes. Témoin ces *Sites auriculaires* dont faisait partie la Habanera de 1898 et qui par leur seul titre évoquent déjà l'hermétisme ésotérique des symbolistes ; jusque dans la botanique allégorique d'*Adélaïde* il subsistera ainsi un élément de mystification. La Fugue du *Tombeau de Couperin*, où c'est le contre-sujet qui est le vrai sujet, prend plaisir à nous dérouter. Et voici d'autre part quelques mystifications instrumentales : dans *L'Enfant et les Sortilèges* on jurerait que les arpèges qui soutiennent l'aria de la Princesse sont des arpèges de harpe, alors qu'ils sont confiés aux clarinettes ; dans le *Jardin féerique* de *Ma mère l'oye*, les fanfares de trompettes sont jouées par deux cors ! On

---

1. Moussorgski *(Khovanchtchina, Tableaux d'une exposition)*, Debussy *(Sarabande, Danse, Épigraphes antiques)*, Satie *(*Prélude du *Fils des Étoiles)*, Chabrier *(Menuet pompeux)*, Chopin *(Nocturne, Étude, Valse)* et Schumann *(Carnaval)*.

Caricature d'Aline Fruhauf.

ALINE FRUHAUF

me fait désirer une trompette, dit Roland-Manuel : pas du tout, c'est une flûte imitant la trompette[1]... Et nous soupçonnons déjà que la musique de Ravel, si elle exprime quelque chose, doit l'exprimer à l'envers, *per contrarium*. Ravel est l'ami des trompe-l'œil, des faux semblants, des chevaux de bois et des attrape-nigauds ; Ravel est masqué ; et c'est pourquoi le carnaval signifiera chez lui non pas, comme pour Schumann, l'orgie et le sabbat de la confusion, mais le pseudonyme, l'oblique incognito, la Fête galante. L'anonymat

et le pseudonymat qu'on doit au travesti ne servent plus à couvrir la licence débridée du mardi gras, mais à camoufler pudiquement la personne. Ce ne sont pas les fantoches et les suites bergamasques qui manquent dans la musique française d'aujourd'hui[2]. Avec Cocteau, Stravinski et Picasso, avec Milhaud et Satie, avec Turina, Ravel a cherché dans la frivolité du cirque un moyen d'évasion et de dépaysement : *Tzigane*, l'*Alborada* de ce Gracieux qui est une sorte de Petrouchka andalou, en portent la trace. Aussi bien il faut être extrêmement intelligent pour déguiser par ruse et artifice ses propres émotions ; car c'est l'intelligence en nous qui est l'organe de la feinte, de la voie indirecte, du chiasme ironique grâce auquel l'émotion s'exprimera non plus simplement, mais διὰ τῶν ἐναντίων. Étudions chez Ravel quelques-uns de ces maquillages.

NATURE

Ravel tout d'abord est passé maître dans l'art de devenir un autre que soi, et il se sert du monde réel pour voiler sa vérité intérieure ; la connaissance de l'extériorité,

---

1. Cf. Cortot, *Cours d'interprétation*, p. 86-87.
2. Debussy : *Pantomine, Pierrot, Fantoches, Suite bergamasque, Masques...* ; Fauré : *Masques et bergamasques*.

Costume d'une libellule pour L'Enfant et les Sortilèges (P. Colin).

la contemplation de l'univers par l'intelligence sont donc chez lui des formes de la pudeur : en somme il parle des choses pour n'avoir pas à parler de soi. La nature chez Ravel ne sent pas le carton comme un décor de théâtre, et c'est la même intelligence chez lui qui se complaît dans la fabrication des automates ou engins artificiels, et qui s'absorbe dans le spectacle du donné pur. Stendhal mis à part, et Tolstoï, et Rimski-Korsakov, et Moussorgski, il n'y a pas eu dans toute l'histoire de l'homme une imagination aussi passionnément objective que celle-là, aussi altérée de vérité crue et de vie. Ce réalisme atteint parfois à une intensité hallucinante... Terrible pudeur décidément, qui a pour rançon une impudeur si éhontée quant aux choses ! Les arlequinades ne sont pas encore nécessaires : la réalité nue des existences et des créatures voilera à elle-même cette conscience secrète mille fois mieux que ne feraient les déguisements de Cassandre et de Colombine. Il s'agit bien de fête galante à présent ! Ce sont les chats eux-mêmes qui font miaou dans *L'Enfant et les Sortilèges* par la voix nasale de deux chanteurs miaulant à bouche fermée et « portando », tandisqu'autour d'eux frissonne le glissement des cordes sur la touche ; et plus tard, dans le jardin nocturne, c'est la chouette elle-même qui glapit par la voix du sifflet à coulisse, dialoguant avec la petite flûte du rossignol ; au fond de la nuit on entend encore soupirer le concert innombrable des rainettes, marié à des bourdonnements d'insectes, crapauds coassants, murmures de feuillage et à tous les dialogues mystérieux des bêtes de minuit. Les *Musiques nocturnes* de Bela Bartok[1] nous font entendre aussi les chuchotements furtifs — gruppetti mystérieux, secondes grésillantes, octaves stridentes dans l'aigu, notes bizarrement répétées — qui se répondent et se propagent en silence d'un bout à l'autre

1. *Klänge der Nacht* (*En plein air*, IV) 1926.

Costume de l'Écureuil pour L'Enfant et les Sortilèges (P. Colin).

de la nuit ; la crécelle du grillon fait écho au frôlement des feuillages, au soupir des crapauds et au tic-tac métallique des coléoptères. Les bestioles composent chez Ravel une sorte de rhapsodie entomologique. Dans l'histoire universelle du lyrisme il n'y a peut-être que les *Grenouilles* d'Aristophane et les *Aventures du rusé Renard* de Leos Janacek qui se comparent à ce chœur panthéiste des créatures ravéliennes. Écoutez encore, derrière les musiques d'animaux, le rire de la brise et le craquement des branches et le râle profond, sylvestre, immémorial qu'on entend dans le tronc des arbres et dans toutes les plantes d'avril : ce « portando » végétal, ce bois qui gémit n'a-t-il pas quelque chose de déchirant ? Telle est chez Bartok la rumeur amélodique, atonale, prémusicale de la nature, du sein de laquelle s'élèvera mesuré et mélodieux le chant des hommes, qui est musique ; tel, chez Liszt, le gazouillement confus des hirondelles avec lequel dialoguera la voix expressive de François d'Assise. Ravel lui-même ne projetait-il pas, au témoignage de René Chalupt[1], de mettre en musique les *Fioretti* ? Prêtons l'oreille au Grillon des *Histoires naturelles*, au Paon qui crie « léon », au Martin-pêcheur et à toutes les volatiles de Jules Renard dont les coucous mécaniques, dans *L'Heure espagnole*, imiteront par industrie le caquetage et les crissements. Car l'artiste imite la nature non seulement en fabriquant ce qu'elle engendre, mais en la transportant telle quelle dans l'orchestre : d'un côté les pépiements puérils des oiseaux imaginaires dans *Petit Poucet*[2], de l'autre les vrais chants d'oiseaux comme dans *Oiseaux tristes* et au début du troisième tableau de *Daphnis*. A la fin du troisième acte de *Mlada*, chez Rimski-Korsakov, les pinsons saluent l'aurore comme dans *Daphnis*. Ces harmonies minutieusement, littéralement imitatives[3] se tiennent, comme on voit, aux antipodes de l' « onomatopée » qui est le type même de la transposition littéraire, conventionnelle et oratoire : c'en est fini des moutons bêlants de la *Symphonie pastorale*, des géorgiques livresques et autres murmures de la forêt ! Ravel a pour devanciers les naturalistes du XVIIIe

---

1. *Ravel au miroir de ses lettres*, p. 261, 264. Sur l'amour de Ravel pour les oiseaux : H. Jourdan-Morhange, p. 31.
2. *Ma mère l'oye*, partition de ballet, p. 27 (cf. p. 40). *Daphnis*, p. 74. 3e *Chanson madécasse* (éd. piano et chant, p. 16).
3. Les rires de *Daphnis*, p. 25, 30.

siècle, Couperin et Daquin, et toute une tradition de vérité au terme de laquelle il y a les ballets d'oiseaux de Liszt, de Rimski-Korsakov et de Moussorgski, et les suaves rossignols de la musique civilisée : celui des *Goyescas* chez Granados, et le rossignol mélodieux de l'Empereur de Chine chez Stravinski, et les roulades qui s'épanchent « en sourdine » dans la *Fête galante* de Debussy, et la vocalise atonale du rossignol de Szymanowski. Disons d'un mot que Ravel note non point des sentiments autour de ses sensations comme Fauré, ni même ses sensations sur les choses comme Debussy, mais les choses directement ; oui, c'est la nature elle-même, avec ses couleurs et son odeur d'herbe mouillée, qui figure dans cette musique, la vive nature en chair et en os, et non point par personne interposée : nous la touchons, nous la sentons, nous l'éprouvons présente et vivante dans la matière comme chez les animaux ; elle est présente, sinon dans la botanique des *Valses nobles*, du moins dans la zoologie des *Histoires naturelles*... Et de là cette discontinuité capricieuse d'un discours qui s'éparpille entre les détails de la nature avec une sorte de minutie juxtalinéaire ; de là ce réalisme microscopique et si méticuleux dans la description des choses. Analysons quelques paysages ravéliens — paysages brumeux encore dans *Miroirs*, paysages profondément burinés, mais plus fantastiques aussi dans *Gaspard.* Et voici d'abord toutes les variétés de la nuit : les parfums voluptueux d'une nuit andalouse dans le Prélude de la *Rhapsodie espagnole* ; au début de la deuxième partie de *L'Enfant et les Sortilèges*, qui est un « jazz dans la nuit », le jardin du clair de lune tout habité de chuchotements et de soupirs — car l'ombre, chez ce noctambule, loin d'étouffer les présences dans son manteau obscur, l'ombre développe les mille bruits furtifs de la création. Peuplé de murmures plus continus et plus fluides le nocturne de *Daphnis*, au début du troisième tableau, est en réalité une fin de nuit, une aube brillante de rosée. Voici d'autre part des commencements de nuit : dans le *Gibet* d'Aloysius Bertrand la pourpre du crépuscule crée autour de la potence de Montfaucon un décor qui évoque Gustave Doré. A la fin du *Grillon* et de la Troisième *Chanson madécasse* le soleil couchant jette moins de lueurs rougeoyantes : Ravel, pour ces deux soirs, a choisi le grand ton fauréen et nocturne de *Ré* bémol majeur. Mais il y a plus de calme majesté dans les accords qui évoquent l'image toute visuelle de Jules Renard — « dans la campagne muette les peupliers se dressent

comme des doigts en l'air et désignent la lune » ; et plus
d'humilité pour commenter les paroles de Parny — « le vent
du soir se lève, la lune commence à briller au travers des
arbres de la montagne » : dans ce crépuscule des tropiques,
immobile et muet, un *sol* ♮ hypolydien laisse passer la fraîcheur de la brise australe. — Après les nocturnes, les songes
de l'air et les jeux de l'eau. *Oiseaux tristes*, poème statique,
plane dans l'air immobile. Par contre *Noctuelles*, qui est à la
fois nocturne et image aérienne, s'apparente aux plus impondérables « leggierezza » de Liszt et de Debussy : les « Exquises
danseuses » de celui-ci, et, chez celui-là, les oiseaux de saint
François d'Assise, les gnomes qui nouent leurs rondes, les
feuillages de la forêt agités par le vent ne sont pas plus légers
que les papillons nocturnes de Ravel. Les poèmes de l'eau
procédent à leur tour des *Jeux d'eau à la villa d'Este*, où le
rire ravélien fuse et rit déjà dans l'aigu de ses mille clochettes
cristallines...[1] C'est la ruisselante Ondine qui rit aux éclats
parmi les ondins, tandis que les fontaines bavardent dans le
jardin nocturne... Les grandes eaux et les grandes gerbes
lisztiennes s'éparpillent chez notre pointilliste en giboulée de
gouttelettes : cela pétille, miroite, scintille, et l'on voit cligno-
ter au fond du parc toutes les améthystes silencieuses de la nuit ;
même les traits, effleurés par l'archaïsme du clavecin, s'analy-
sent en notes et affectent une certaine gracilité subtile et délicate. Ravel économisera donc la pédale, car qui dit pédalisation
dit approximation, brouillard et continuité diffluente. Mais il
arrive aussi que dans l'élément liquide Ravel retrouve le
principe du legato, le rythme fauréen des barcarolles et l'invitation au sommeil : la *Barque sur l'Océan* se balance au revers
des grandes vagues souples qui montent et descendent d'un
bout à l'autre du clavier ; de petites vagues bercent mollement
la goélette d'*Asie*, qui n'est pas un bateau ivre, au rythme
des calmes triolets ; et quant au *Cygne*, le blanc animal des
Histoires naturelles, ce sont à peine des rides qu'il chasse devant
lui, dans le bouillonnement des rythmes et le doux clapotis
des septolets. Qu'il note la berceuse éternelle des vagues, ou
le frais ruissellement des sources dans *Daphnis*, ou les ébats
d'Amphitrite et des naïades dans *Jeaux d'eau*, Ravel a su
évoquer les fées de la mer et de l'humidité. Sa musique est

---

1. *Jeux d'eau, Barque sur l'Océan, Ondine, le Cygne, Asie.* Chez Debussy
Voiles (Prélude, Ier Cahier) est une suggestion de rythme, la *Mer* une étude
de vagues. Gabriel Dupont, *La maison dans les dunes*, n°s 2, 6, 8, 10.

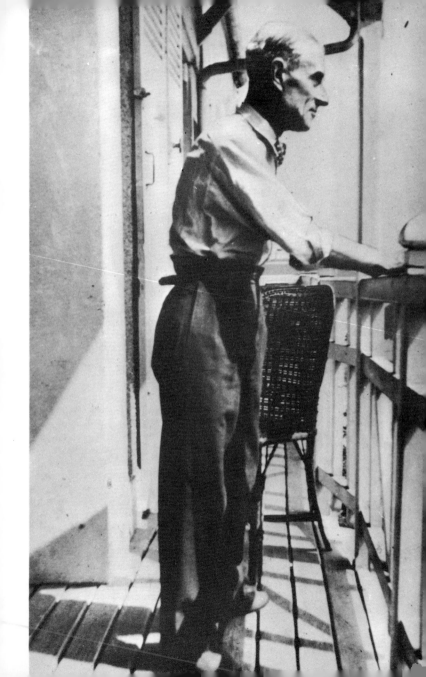

donc bien une musique du plein air, des vents d'outre-mer et du grand large[1]. Ravel une fois pour toutes, s'évade de la « serre d'ennui », de cette subjectivité malheureuse dont Chausson reste captif :

> *Nous n'avons pas fait ce voyage...*
> *Ce voyage n'est que mon rêve —*
> *Nous ne sommes jamais sortis*
> *De la chambre de nos pensées[2].*

Ravel, lui, a bien quitté cette chambre. Mais sachons que l'heureuse objectivité n'est chez lui que le masque de son secret intérieur ; ensuite que le dépaysement et l'humeur pérégrine lui serviront à voiler cette objectivité même. Car de même que les oiseaux empaillés de *L'Heure espagnole* et de *Petit Poucet* font concurrence aux vrais oiseaux de *Daphnis* et des *Histoires naturelles*, de même Ravel se plaît à saisir le monde tamisé par la fantasmagorie ou par l'exotisme. L'objectiviste, *a fortiori* peut être illusionniste. Ravel a donc été, comme le Cygne de ses *Histoires naturelles*, chasseur de vains reflets et pêcheur de nuages ; il l'a été en un temps où l'impressionniste préférait aux choses elles-mêmes les images de ces choses, à la réalité son apparence pelliculaire et moirée, aux corps massifs les phantasmes dans l'eau[3], aux « ramures réelles » l'ombre des arbres dans l'étang. *Miroirs* ! ce titre baroque et symboliste, qui évoque les *Reflets dans l'eau*, *Images* ou *Estampes* de Debussy, et les *Mirages* de Fauré, ne semble-t-il pas déprécier le modèle au profit d'un reflet secondaire ? Mais tandis que le subjectiviste, sortant de soi, ne trouve que lui-même, Ravel joue volontairement à cache-cache. Car tels sont les trois exposants successifs de sa ruse, les trois alibis de sa pudeur : le naturalisme lui sert à se cacher, l'exotisme à masquer ce naturalisme, et le pastiche à masquer cet exotisme.

---

1. Le vent : *Grands vents venus d'outre-mer*. La forêt : *Ronde*. Pastorales : *Petit Poucet*, *L'Enfant et les Sortilèges*, 1er mouvement de la *Sonate* de violon, 3e *Chanson madécasse*, Gabriel Dupont, *La maison dans les dunes*, no 4 ; *Heures dolentes*, no 8.
2. A. Gide, le *Voyage d'Urien*.
3. Τὰ ἐν τοῖς ὕδασι φαντάσματα : Platon, *République* VI 510 a.

Cette musique qui, pendant quarante ans nous a promenés de Palestine à Madagascar et de Perse en Espagne ressemble à une belle croisière pleine d'aventures merveilleuses et de charmantes rencontres. L' « exotisme » ravélien à la vérité s'explique non pas par le sens du pittoresque colonial ou le culte du folklore, non pas comme chez Gauguin, par la nostalgie de l'innocence, mais par la mobilité extrême d'une intelligence capable d'adhérer à tous les rôles, d'endosser tous les personnages. Un exotisme sans couleur locale, dit Roland-Manuel. Lui, plus Espagnol que Manuel de Falla, il sait être aussi juif que Darius Milhaud quand il parle hébreu, et, quand il monte en roulotte avec les bohémiens, plus tzigane que François Liszt. Assurément ce polyglottisme musical lui est commun avec un grand nombre de ses contemporains ; avec tous leurs capitaines au long cours, de Rimski-Korsakov à Roussel, la musique française et la musique russe ont éprouvé depuis longtemps la nostalgie des lointains horizons et accueilli l'Invitation au voyage[1]. L'Asie persane et caucasienne, comme elle attirait Rimski et Balakirev, a suscité la *Péri*, dont *Shéhérazade* est de sept ans l'aînée. Damas, la Perse, l'Inde et la Chine seront les escales asiatiques du nouveau Sindbad.

---

1. Cf. les six passionnés *Poèmes arabes* de Louis Aubert.

La fête chez le caïd de Telouët, près de Marrakech, donnée en l'honneur de Ravel.

Mais d'une manière générale Ravel s'éloigne rarement des rivages méditerranéens. « Je voudrais m'en aller avec la goélette » chante-t-il dans *Asie* sur les vers de Tristan Klingsor, mais, quoiqu'il ait le pied marin, cette goélette ne l'emmènera pas pour des navigations beaucoup plus lointaines que celles de Fauré, ni vers des orientales beaucoup plus fabuleuses. Il est un de ces voyageurs dont on aimerait dire, comme de Jules Verne : Il n'y est jamais allé. Du côté de la Grèce son attention a été attirée par le recueil d'Hubert Pernot et les harmonisations de Bourgault-Ducoudray. L'Espagne surtout n'est pas un simple rôle qu'il s'amuserait à jouer. Dans la garde-robe des travestis ravéliens, ce déguisement n'est pas un déguisement comme les autres. Depuis l'Espagne un peu littéraire de la *Pavane pour une infante*, Espagne romantique et très XIXᵉ siècle qui fut celle de Hugo et de Théophile Gautier, de Manet, de Lalo, de Chabrier et de Bizet, jusqu'à l'*opus ultimum* de 1934, il n'a cessé d'être passionnément fidèle à ce masque. L'Espagne... mais toutes les Espagnes : l'Andalousie passionnée de l'*Alborada*, où les arpèges aigus luisent comme des poignards ; dans la *Rhapsodie* la Catalogne exubérante de la Feria et la précision ardente des danses de Malaga ; la baudelairienne indolence de la Vocalise havanaise ; la nostalgie populaire de la *Chanson espagnole*, l'obsession du *Boléro*, la fantaisie libertine de *L'Heure espagnole* et, dans *Don Quichotte à Dulcinée* l'Espagne courtoise, batailleuse et galante du XVIIᵉ siècle... Même les espagnoleries les plus hallucinantes de Debussy, *Iberia*, la *Soirée dans Grenade*, la *Puerta del Vino*[1] pâlissent auprès de ces images de feu, tour à tour arides et très intenses, et qui sont brûlées du soleil comme un paysage de Castille. Si Déodat de Séverac l'Occitan fut le poète de la Catalogne, Ravel, originaire du pays basque, s'identifie à l'essence même de l'Espagne. Les Espagnols eux-mêmes, de l'aveu de Falla, l'ont imité, comme on dit que les couchers de soleil imitent les tableaux du Lorrain ; et les admirables *Nuits dans les jardins d'Espagne* ne seraient sans doute pas sans la Feria et le Prélude à la nuit de la *Rhapsodie espagnole*. — Vers 1924 Ravel se déguise en tzigane. Adélaïde, qui fut tour à tour cueilleuse de lentisques, princesse au bois dormant et horlogère à Tolède, Adélaïde qui sera bientôt la malgache Nahandove a voulu camper une nuit avec les romanichels pour éprouver sa souplesse et son pouvoir d'adaptation : car il s'agit soi-disant des Tziganes de Hongrie et de la tziganerie romantique, non point, à première vue, des Gitans ni du Cante jondo. Tout ce qui attirait Ravel vers les musiques d'Espagne, la netteté des contours, la nerveuse précision du rythme, la pureté classique et toute latine des formes et surtout la concision, l'ardente concision qui est un des visages de l'ascétisme, tout devait l'éloigner des Tziganes, de leurs oripeaux, de leur débraillé. Le rythme chez eux est le roi, mais il s'enveloppe dans une brume chromatique propice à toutes les trahisons. Ils ne possèdent pas, comme les autres nations, de folklore déterminé : ils ont simplement un mode qui leur est propre et certains genres ou « formes » à l'intérieur desquels l'improvisateur jouit de la plus extrême liberté, brodant et variant selon son humeur, puis oubliant ce qu'il a joué... Car ces aventuriers n'ont pas de « traditions ». Nomades, ils ne possèdent rien sur terre ; ils n'ont pas de patrie, et ils gaspillent tout ce qu'ils trouvent ; leur musique même, ils l'abandonnent à tous les vents. Que ces fières négligences aient pu séduire Liszt, on ne saurait s'en étonner ; Liszt, pèlerin pathétique, ne déteste pas la musique des grandes routes. Mais Ravel, qui représente la discipline et la dure matière, comment a-t-il pu s'acoquiner avec ces chemineaux ?

---

1. Sans compter *Lindaraja*, le Scherzo du *Quatuor*, la *Sérénade interrompue*.

Dans le boudoir de Montfort.

PASTICHE

Le Levant, l'ibérisme, le vagabondage bohémien, sans oublier les viennoiseries de la *Valse* et la période nègre, — voilà donc quelques-unes des fausses pistes sur lesquelles la tactique du musicien est de nous aiguiller. Or il arrive que le chiffre soit encore plus complexe et que Ravel simule la simulation elle-même. Non seulement la vérité objective lui sert à cacher sa vérité personnelle, mais il se sert d'une vérité objective pour déformer l'autre vérité objective ; il cherche la vérité historico-psychologique des apocryphes, l'actualité de l'anachronisme, le bon goût du mauvais goût, le charme des choses démodées. C'est par exemple, la géographie vue à travers l'histoire. Comme un historien qui s'intéresserait moins au platonisme proprement dit qu'à une image de Platon vue à travers les magiciens du Moyen Age, les panthéistes de la Renaissance ou l'esthétisme d'Oxford, ainsi Ravel préfère aux décors eux-mêmes une image de ces décors réfractée par le goût et le style de telle ou telle époque. A Virgile lui-même il eût sans doute préféré la traduction de Mme Dacier. C'est là du camouflage à la deuxième puissance. L'époque choisie comme prisme sera en général le XVIIIe siècle auquel, plus encore qu'à la Renaissance, plus qu'à la Restauration, au style Louis-philippe et au Second Empire, il a toujours gardé un attachement particulier et que l'influence de Verlaine et d'Henri de Régnier avait mis à la mode. Quand il regarde vers Madagascar, c'est à travers une prose d'Évariste Parny ; et s'il avait écrit un opéra sur *Shéhérazade*, ç'aurait été d'après la traduction des *Mille et une Nuits* de Galland. Quant aux chinoiseries de *Ma mère l'oye* elles font penser aux tableautins de Boucher comme les turqueries de Mozart aux *Lettres persanes* et à tout un exotisme « alla turca » qui est aussi très louis-quatorzième. Le décor « bergamasque », qui exprime chez Fauré la nostalgie de l'irréel traduit chez Ravel, et aussi bien dans la *Pavane pour une infante* que dans *Ma mère l'oye*, la volonté de la feinte, de l'alibi et du dépaysement. Même ce Menuet qui de bonne foi se croit « antique », comme si l'antiquité durait jusqu'à Louis XV, il fera penser aux Cythères de Watteau plus qu'à la Grèce elle-même ; c'est donc le Menuet qui compte, et non son épithète. Mais le réel ne se réfracte pas toujours à travers le dix-huitième siècle : témoin la fausse couleur javanaise du *Pantoum*. A y regarder de près on trouverait sans doute *Tzigane* un peu teintée d'hispanisme[1] : pour une Rhapsodie hongroise, voilà une belle Rhapsodie espagnole, ou presque aussi espagnole en son genre que la Rhapsodie pour saxophone de Debussy (qui aurait dû plutôt avoir l'air nègre). Mais si la Rhapsodie tzigane est un rien gitane, c'est-à-dire hispanisante (comme la *Rhapsodie espagnole* de Liszt est pour ainsi dire la dix-neuvième Rhapsodie hongroise), *L'Heure espagnole*, à son tour, est quelque peu italianisante avec ses vocalises et ses fioritures ; on répondra, il est vrai, qu'elle est dans le cas de Domenico Scarlatti, le napolitain hispanisé. Mais comment expliquera-t-on alors l'Espagne romantique de la *Pavane*, qui est comme une image de Velasquez vue par les yeux de Liszt ? D'ailleurs les pavanes ne sont ni espagnoles ni funèbres... Et, comme si Léon Bakst avait deviné cette volonté d'alibi, il n'est pas jusqu'à la grécité de *Daphnis* que les ballets russes n'aient un peu teintée de tcherkesse, de scythe et de sarmate[2]. Les

---

1. Par exemple : édit. piano et violon, p. 8.
2. Roland-Manuel nous dit que son maître voyait l'antiquité par les yeux des peintres de la Révolution, et Couperin à travers Marie-Antoinette !

espagnolades et les orientales de Balakirev, à leur tour, n'ont-elles pas une pointe d'accent slave ? et leur charme n'est-il pas fait de cette inauthenticité même ? Avouons-le enfin : Ravel trouve la copie plus authentique que l'original. Cette recherche du milieu réfringent expliquerait sans doute l'affectation archaïsante si caractéristique de son goût et qui tient tantôt aux poètes choisis — Marot ou Ronsard[1] — tantôt au décor de l'action, comme dans *Ma mère l'oye*, le *Tombeau de Couperin*, la Troisième Valse d'*Adélaïde* et la musette de *L'Enfant et les Sortilèges*, tantôt à l'imitation des sonorités grêles et vieillottes du clavecin ; d'un côté les « hommages à Rameau » — la Passacaille du *Trio*, et la procession cérémonieuse d'*Anne me jetant de la neige* ; de l'autre tous les « scarlattiana », les menuets pour Haydn, Cimarosa et Couperin : — sonorités graciles d'*Anne jouant de l'épinette*, badinage suranné de *Nicolette*, limpide candeur de la *Sonatine* et du *Quatuor*. Couperin fut pour lui ce que furent Rameau pour Debussy et Dukas, Daquin et le dix-huitième siècle pour Séverac, Scarlatti pour Manuel de Falla, pour Ernesto Halffter et Joaquin Nin, Cimarosa pour Malipiero, Claude Gervaise et les clavecinistes pour Poulenc. Toutefois il ne s'agit pas uniquement, comme chez Debussy, de renouer avec une véritable tradition nationale ; ni uniquement, comme chez Falla, de se mettre par ascétisme à l'école de l'austérité ; ni uniquement de s'embarquer pour la « fête galante » et le pique-nique à Cythère : les formes anciennes[2], les « Symphonies classiques » ne sont en vérité qu'un jeu, un des pseudonymes dont se sert l'humoriste, le musicien au masque pour égarer les curiosités indiscrètes. La musique de Ravel sera donc toujours plus ou moins en état de pastiche ; non que Ravel ait souvent parodié quelqu'un, comme le jour où il écrit à la manière de Borodine ou paraphrase une paraphrase imaginaire de Gounod par Chabrier[3]; mais il est vrai que le pastiche est la limite de l'objectivité ironique pour une intelligence qui assume non pas seulement des décors, mais des personnages. Ainsi les *Valses nobles*, par leur seul titre, pastichent le *Carnaval* de Schumann ; et les battements de doubles croches du Finale du *Quatuor*, citant le Finale de la Première *Sonate* pour piano

---

1. Chez Debussy : Charles d'Orléans, Villon, Tristan Lhermite...
2. Cf. les trois *Suites anciennes* d'Albeniz.
3. Il paraît que *Myrrha*, cantate de concours de 1901, pastichait le style de l'opérette sentimentale.

Costume de Concepcion pour L'Heure Espagnole (A. Marc).

en *Sol* mineur, sont aussi à la manière de Schumann. Cet esprit de plagiat ironique se mesure bien à la bonne humeur de la parodie mutuelle chez les musiciens français[1] : Debussy qui pastiche « Monsieur Czerny », Séverac qui pastiche Daquin, Charles Bordes, Albeniz et Chabrier, Chabrier qui parodie les rodomontades tétralogiques, Satie qui pastiche tout le monde, Saint-Saëns lui-même, dans le *Carnaval des Animaux*, imitant Offenbach, Berlioz... et Saint-Saëns, Ravel enfin qui parle si souvent la langue de Domenico Scarlatti — ils mettent tous le souci romantique de leur priorité après le souci de leurs feintes.

Se mettre dans la peau de l'autre, s'installer à sa place et devenir cet Autre lui-même, *« ipse »*, l'Autre en personne — doña Concepcion, princesse Florine ou sultane dans le sérail

---

1. Les *Portraits de maîtres* de P. de Bréville sont plutôt de pieuses évocations « dans le style » de Fauré, de V. d'Indy, de Chausson et de Franck.

de Bagdad, voilà qui exige déjà un pouvoir d'assimilation peu commun et une pénétrante intellection d'autrui. Mais être soi et en plus le contraire de soi — c'est là le comble de l'extroversion intelligente pour une conscience capable de s'incarner dans sa propre négation. La contrariété n'est-elle pas la limite aiguë de l'altérité ? Ravel a eu ce don d'intuition extatique et de sympathie unitive qui permet à l'artiste de faire sienne la plus grande étrangeté et en elle de s'incorporer, de se déverser, de s'oublier totalement. Après le frégolisme des costumes et des décors décrivons, sur quelques exemples, ce frégolisme hyperbolique des sentiments. Lui, la suprême distinction, il sait être populaire si bon lui semble, il sait devenir la vulgarité en chair et en os : la danse burlesque de Dorcon est digne déjà des bouffonneries de *Choute* ; la truculente et très barcelonaise *Feria* de la *Rhapsodie* et la *Chanson à boire* rendraient des points au Chabrier de la *Joyeuse marche* et à l'exubérante allégresse de Darius Milhaud. « Tout gai ! gai, Ha, tout gai... Belle jambe tireli, qui danse ; Belle jambe, la vaisselle danse ! » Ces paroles d'une mélodie grecque, où déjà Don Quichotte lève son verre à la joie, on les devine derrière la franche, directe, saine gaieté du *Rigaudon* comme derrière la bacchanale finale de *Daphnis*. Et faut-il rappeler ici le rôle des rondes populaires dans le Finale du *Trio*, dans toute la *Sonate en Duo* et dans le premier mouvement du *Concerto en* Sol ? Ravel, quand il s'enivre, ne met pas d'eau dans son allégresse, et l'on rêve d'un festival de la joie qui réunirait ses pages les plus dionysiaques avec les *Bruits de fête* de Liszt, la *Joyeuse marche* de Chabrier et l'*Eritaña* d'Albeniz. Il ne dédaigne pas, lui qui est toute réserve, prendre la musique sur ses genoux, comme Liszt selon M. Croche, et de même il ne déteste pas, lui qui ne laisse rien au hasard, les apparences de l'improvisation. A la vulgarité distinguée, à l'ébriété stylisée, répond ici l'improvisation concertée — car tout est réglé et même les tâtonnements ! Voici le monologue de Gonzalve dans l'horloge, avec ses grands traits de harpe et ses rythmes relâchés ; la libre cadence de clarinette qui, dans *Daphnis*, prélude à la danse de Lyceion, tandis que plusieurs ébauches de thèmes antérieurs sont tour à tour essayées et rejetées ; les préludes de *Scarbo* et de la *Chanson espagnole*, les interludes de *Ma mère l'oye*... L'improvisation, qui est expérimentation capricieuse, apparaît aussi dans l'*Introduction et Allegro* pour harpe, où elle est une préface sans fin, une introduction qui n'introduit rien. La « copla » impromptu du Gracieux dans l'*Alborada* annonce, avec des tournoiements languides, les triolets descendants dans les Récits de la *Rhapsodie espagnole*, et surtout de la *Malagueña* et de la *Feria* ; le chromatisme et l'à-peu-près des petites notes règne dans *Noctuelles* et *Oiseaux tristes*, comme les perpétuels changements d'allure dans *Tzigane* : voici l'approximation du rubato et du portando, la langueur du rallentando, l'énervement de l'accelerando, l'improvisation de l'esitando. Le métronome s'affole dans le strette final de la *Valse*, dans la Friska de *Tzigane* et, cédant à la panique, abandonne toute retenue. Ce qui choque le plus un art probe et scrupuleux — l'indétermination, la rhétorique, les formes approximatives et bâclées, Ravel l'endosse par jeu et imposture. Aimer à la fois la réticence castillane et la complaisance d'une passion qui se dilue dans les brouillards, n'est-ce pas le superlatif du défi ? L'imprécision n'est ici qu'une précision de plus, un raffinement de la finesse, comme la négligence étudiée n'est qu'une suprême élégance. Cette finesse de grand seigneur rappelle Fauré. Avoir l'air de chercher quand on a déjà trouvé, paraître dédaigner les détails quand on les a agencés minutieusement et, sans avoir l'air d'y toucher, doser les accords note par note — voilà un trait où se révèle la fine mouche, l'espiègle, le malicieux, le sage Ulysse. Il y a enfin la fausse grandiloquence, le panache, qui jure si paradoxalement avec le laconisme ravélien et l'esprit de litote. Certes Ravel ne se met pas en bras de chemise sans sourire, car il n'a pas seulement du génie mais du goût ! Aussi, quand il se laisse aller, c'est toujours *cum grano salis*. Tous les degrés de l'emphase sont représentés, depuis celle qui est évidemment parodique, comme dans le *Paon* des *Histoires naturelles* ou chez don Iñigo Gomez, ce personnage officiel[1] de *L'Heure espagnole* qui fait

1. P. 35 et p. 13 les comiques accords parfaits sur ces mots : « l'heure officielle n'attend pas ». Et Debussy, la *Boîte à joujoux*, p. 45. Cf. Gabriel Dupont, la *Farce du Cuvier*, acte I, p. 54-62 (Arioso de Dame Jaquette).

Sur le piano de Montfort.

lui aussi la roue, jusqu'à la majesté toute naturelle du *Concerto* pour la main gauche. Entre ces deux extrêmes prendraient place, en même temps que la *Chanson romaine*, qui est de la quintessence d'emphase et en quelque sorte un concentré de canzone, bien des « menuets pompeux »[1] dont on ne saurait dire parfois s'il faut les jouer avec humour comme l'hommage à S. Pickwick esq. et comme les charges de Satie — « c'est le colonel, ce bel homme tout seul », ou s'il faut les prendre au sérieux comme le fanatisme tzigane.

DANSE

Il n'est donc pas vrai que la musique de Ravel soit un divertissement inexpressif ; mais elle s'exprime indirectement, obliquement ; elle dit autre chose que ce qu'elle pense, ou le contraire : à nous de savoir interpréter ses réticences, ses périphrases, ses euphémismes. Et cela est si vrai que son impassibilité même est devenue une allégorie, un chiffre significatif, l'apparence exotérique d'une intention cachée. L'affectation d'indifférence est un masque tout comme la simulation allégorique ou la simulation contradictoire : rien, le contraire ou autre chose, n'est-ce pas toujours Quelque chose ? Et de là vient, comme on l'a souvent remarqué, que la danse soit la forme naturelle de cette musique — la danse, c'est-à-dire la stagnance, le mouvement sur place, l'action tourbillonnante qui, au lieu de déboucher dans le monde, reflue sur elle-même, trouve sa finalité à l'intérieur d'elle-même, piétine et tourne en rond ; l'action devenue agitation stationnaire ou, comme dit Alain, le mouvement dans l'immobile. Tout se résout ici en trémoussements, vaines saltations et figures, pas en avant suivis de reculs sans but. Danses anciennes[2] comme la Passacaille, la noble Pavane, la souple Forlane, le joyeux Rigaudon provençal, la Ronde et surtout

---

1. H. Jourdan-Morhange a entendu en 1936 une orchestration du *Menuet pompeux* de Chabrier par Ravel (*Ravel et nous*, p. 88).
2. Pavanes : *Pour une infante défunte*, de la *Belle au bois dormant* (à comparer à celle de Fauré, op. 50). Menuets : *Sonatine, Tombeau de Couperin, Sur le nom de Haydn, Menuet antique* (à comparer à celui des *Masques et bergamasques* de Fauré). Musettes : *Chanson française, Tombeau de Couperin*.

le Menuet. Danses romantiques comme la Valse[1]. Danses américaines comme les fox-trots, two-step et bostons de *L'Enfant et les Sortilèges*. Danses espagnoles comme la Malagueña, le Boléro et surtout la Havanaise, la cubaine Habanera[2], c'est-à-dire le tango andalou, que Bizet, Saint-Saëns, Chabrier, Laparra et Louis Aubert ont rendu célèbre et qui a rythmé les accents les plus passionnés de la *Soirée dans Grenade* et de la *Puerta del Vino*. Là même où cette musique n'adopte pas le rythme uniforme d'une danse, elle tend naturellement à se couler dans la forme chorégraphique : la *Sonatine* est une sorte de minuscule ballet ; et aussi l'*Allegro* pour harpe ; et le scherzo du *Concerto* pour la main gauche ; et l'*Alborada*, à son tour, est un véritable ballet, un ballet, comme la *Valse*, le *Boléro* ou *Adélaïde*, comme *Daphnis, Ma mère l'oye* ou le *Tombeau de Couperin*, un ballet qui attend toujours son metteur en scène. M. R. Dumesnil, de son côté, remarque que les trois chansons de *Don Quichotte à Dulcinée* forment une suite de danses — guajira, zortzico et jota aragonese. Le lyrisme lui-même chez Ravel revêt donc la forme chorégraphique, au lieu que chez Ernest Chausson c'est juste l'inverse : ses forlanes, pavanes et sarabandes ressemblent à des élégies[3]. Il est vrai que les danses chez Ravel sont toujours expressives et qu'elles diffèrent profondément par les états d'âme qu'elles nous suggèrent : la chaude et pathétique sensualité ne veut pas une chaconne, mais une Valse ; la habanera est passionnée, ardente et précise, et non point efféminée comme le tango des salons ; chaque rythme a donc sa qualité émotionnelle spécifique. D'autre part les danses de Ravel sont expressives non point directement par l'association conventionnelle d'une certaine forme de musique avec une certaine attitude du musicien, mais indirectement par l'émotion qui se crée en nous. Il n'est pas nécessaire qu'un musicien triste écrive une marche funèbre si un menuet ou une séguedille, selon les circonstances, peut nous serrer le cœur. Ou comment expliquer que le *Tombeau de Couperin*

---

1. La *Valse, Adélaïde; A la manière de Borodine;* les *Entretiens* de la Belle et de la Bête ; *L'Heure espagnole,* p. 45, 51, 53-54, 86, 88-91, 96-99 ; le thème de Chloé dans *Daphnis ; L'Enfant et les Sortilèges,* p. 74-81.
2. *Rhapsodie espagnole, Vocalise,* le *Grillon, L'Heure espagnole,* p. 22-24, 25-27, 31-32, 40, 60, 65-67, 82-84, 88, 100, 102-114. Cf. Debussy, *Rhapsodie* pour saxophone, *Lindaraja, Soirée dans Grenade.*
3. *Quelques danses pour piano,* op. 26. Chez Hugo Wolf l'élégiaque, les habaneras deviennent des lamentos : *Spanisches Liederbuch,* n° 21.

rassemble en mémoire d'amis tués à la guerre six danses imperturbablement souriantes et sereines ? que la *Sonate en Duo* inscrive sur le Tombeau de Debussy d'allègres refrains de rondes ? Et quelle idée singulière que de choisir le nom de Gabriel Fauré comme thème de Berceuse ! Il est vrai que Fauré précisément lui montrait le chemin des humoresques, que Debussy lui-même intitule *Gigues tristes* sa première Image d'orchestre... Nous nous étonnions du parler quasi-indifférent de *Nahandove* : mais le Fauré du *Clair de lune*, à son tour, n'a-t-il pas l'habitude de dérouter nos recherches par des alibis ironiques, en faisant comme s'il ne se passait rien ? Dans les *Morceaux en forme de poire* et les *Pièces froides* de Satie, musiques délicieusement attendries, dans la *Mavra* de Stravinski, aussi bien que chez Kurt Weill, dans les shimmies et one-step du *Raid de Lindbergh*, « oratorio-reportage » en quinze communiqués, la musique n'a plus de rapport direct avec le texte. Le masque de Ravel, immobilisant ses traits, démentant ses paroles, le fait ressembler aux personnages de ballet dont Derain dessina les costumes pour les *Fastes* de M. Sauguet. Du commencement jusqu'à la fin il s'est roidi dans ce masque, depuis les beaux accords inexpressifs de *Sainte* (1896) jusqu'à la rêveuse procession de quintes de *Ronsard à son âme* (1924). La danse prête donc à la sensibilité de Ravel une fausse apathie, une fausse anesthésie, une fausse ataraxie ; elle lui crée une apparence de détachement frivole qui est au service des stratégies déroutantes de la pudeur. La danse est l'enveloppe isolante de son rêve.

Sensualité et véhémence

« Ça n'a pas mordu ce soir », dit le pêcheur des *Histoires naturelles*, « mais je rapporte une rare émotion. » Quelle est donc cette vérité intérieure dont le message se révèle à nous indirectement dans les danses et les humoresques et dans cet objectivisme même qui, étant fait pour la dérober, la trahit cependant par l'adhésion suspecte que Ravel donne à certains rôles ? Tel un amant innombrable ne veut préférer aucune de ses amies et ne peut dissimuler pourtant le trouble que l'une d'elles lui apporte. « La Fauvette indifférente » : c'était, raconte Hélène Jourdan-Morhange, le titre d'une mélodie que Ravel avait projetée pendant la première guerre mondiale. Ravel est cet ironiste pris au piège, cette fauvette indifférente — non point justement l'Indifférent de Watteau mais un demi-indifférent, Don Juan pour toutes, sauf pour une. « Mais non, tu passes. Et de mon seuil je te vois t'éloigner », soupire l'amante de *Shéhérazade* à la vue de l'Indifférent ; et beaucoup plus tard c'est le Madécasse passionné qui dit à Nahandove : « Tu pars et je vais languir... » Ou comme Satie fait dire, dans *Colin Maillard*, au vieil amant d'une douce luronnette : « Celui qui vous aime est à deux pas... Il tient son cœur à deux mains. Mais vous passez sans le deviner... » Tous semblent se rappeler le Cantique des Cantiques : « Mon bien-aimé s'en est allé »[1]. Ravel a donc des « faibles », d'humaines préférences, et c'est en les surprenant dans un éclair que nous déchiffrerons le mieux la prédilection de ses dilections. Par un curieux effet de dialectique l'extrémisme intelligent, dans l'instant même de sa plus grande froideur, vire d'un coup en son contraire. Il ne faut pas jouer avec le feu. A prononcer imprudemment les paroles de l'amour, on s'expose à tomber amoureux pour de bon ; à pasticher les Tziganes sans précaution, on risque soi-même, un beau matin, de se réveiller Tzigane, prolixe et débraillé. Ainsi le sorcier est devenu la victime de ses propres sortilèges. Devenir, par étude et discipline, son propre contraire, voilà un jeu périlleux pour les natures passionnées, et Ravel n'est certes pas le premier ingénieur qui s'y soit laissé prendre. Ravel a bien connu la tentation du fruit défendu ; il n'était pas en acier comme les horloges de *L'Heure espagnole*, mais au contraire il avait de naissance cette double et terrible sensualité, sensualité harmonique et mélodique que les musiciens passionnés reçoivent dès leur berceau avec le baiser de la Fée. Ravel participe de cette comédie même dont il voulait n'être que spectateur ; lui le Témoin, la Conscience, le grillon d'Espagne, l'empereur des Pagodines et des écureuils, le voilà ému comme un pauvre homme. Où est-il, ce beau sang-froid ? et la souveraine ironie, où est-elle ? Il n'y a plus de sang-froid, plus de surconscience : rien que la confession d'un tendre cœur qui est comme tous les cœurs. Prenez garde aux tarentelles qui flottent dans l'air du soir autour des collines d'Anacapari ! Ne jouez pas avec les sérénades !

---

1. *Cant.* V 6. *Shéhérazade* III. *Chansons madécasses* I (p. 7). Satie, *Sports et divertissements*.

Au reste, et si nous en doutions encore, Ravel lui-même nous en ferait la confidence. Le *Journal* de Jules Renard[1] nous apprend qu'il oppose à l'intellectualisme d'Indyste sa propre conception sentimentale et instinctive de la musique ; vous avez bien lu : instinctive. Le grand stratège, l'espiègle, l'amateur de bibelots, voilà qu'il s'avoue sentimental... Ailleurs il revendique contre le primat du métier et de la technique les droits sacrés de l'inspiration. Est-ce l'impassibilité qui est un masque, ou la sentimentalité qui est une mystification ?

M. Cortot, n'a vu qu'une fois[2], dans le premier mouvement de la *Sonatine*, l'indication « appassionato ». Il exagère, ou bien il aura lu trop vite : ces indications — passionné, avec passion — se rencontrent chez Ravel en cent autres endroits[3], ironiques assurément dans *L'Heure espagnole*, mais combien sincères dans l'Adagio et le Finale du *Quatuor*, l'*Allegro* pour harpe, la Feria de la *Rhapsodie espagnole*, la danse suppliante de Chloé dans *Daphnis*... Et n'est-ce pas encore ce mot qu'on déchiffre sur le manuscrit inédit de *Myrrha* ? Là même où il n'ose prononcer le mot défendu, ce mot passion qu'il brûle pourtant d'écrire et qui est au bout de sa plume, on le sent qui tourne autour et le remplace par des circonlocutions comme « très expressif », « avec une expression intense » : ainsi dans *Tzigane*, l'*Alborada* et la Deuxième *Valse noble*. Mais que peut être une expression intense, s'il vous plaît, sinon celle d'un cœur passionné ? De là vient que, malgré sa volonté de ne pas s'attendrir, Ravel cède parfois, tout comme un simple romantique, à la langueur du ritardando. Qui n'a pas entendu le précieux *Placet futile* ou le voluptueux *Prélude à la nuit* de la Rhapsodie ne peut savoir ce que sont chez Ravel ces défaillances du rythme ; dans la danse suppliante de Chloé le tempo défaille ainsi toutes les deux mesures tandis que dans certaine habanera de *L'Heure espagnole*, c'est

---

1. P. 1343, *apud.* L. Guichard, *op. cit.*, p. 179. Cf. ce qu'il dit contre Brahms in S. I. M., 15 mars 1912, Concerts Lamoureux (reproduit dans la *Revue musicale*, numéro cité, p. 84). Roland-Manuel met en doute la vraisemblance de ce dialogue avec Renard (*A la gloire de Ravel*, p. 73).
2. La *Musique française de piano*, t. II, p. 32 ; *Cours d'interprétation*, p. 171.
3. *Heure espagnole*, p. 21 ; *Daphnis*, p. 64 ; *Rhapsodie espagnole*, éd. à 4 mains, p. 29 ; *Quatuor*, III et IV, éd. à 2 mains, p. 23, 32 ; *Sonatine*, p. 4 ; *Allegro pour harpe*, *Tzigane*, etc.

134

la dernière croche de chaque mesure qui est un peu retardée ;
et quant à la gracieuse Sixième *Valse* elle ne craint pas elle
non plus, avec ses clausules alanguies, d'effleurer les pâtu-
rages attrayants du mauvais goût, de ce bon mauvais goût
qui n'est en somme que notre humaine faiblesse[1]. Rappelez-
vous aussi l'émoi délicieux qui s'empare des notes, dans la
Deuxième *Épigramme* de Marot, au moment où la voix chante
« Dès que je pense être un peu aymé d'elle... »

Cette pensée, qui, depuis que le monde est monde, fait battre
tous les cœurs, cette pensée jette sur les touches une sorte de
trouble imperceptible et dans la voix, comme un léger tremble-
ment. Adieu clavecin, sang-froid et marionnettes à musique !
Il faudrait être en pierre ici pour jouer ou chanter sans
s'attarder. « Et c'est toi que j'aime », chuchote, soudain attendrie,
drie, la joyeuse Troisième *Mélodie grecque*. De la même façon
le languide rubato dont Ravel a tant de peine à s'abstenir,
prend le dessus dans la *Vocalise*, la Deuxième *Valse* et les
fioritures de *L'Heure espagnole*[2] : à ce trait, où se révèle la
vraie nature d'un homme, on réalise ce qu'il lui en coûtait
d'avoir l'air impassible. L'approximatif « portanto » joue de
même un grand rôle dans les écarts vocaux de *Placet futile*
et de *L'Enfant et les Sortilèges*[3]. Ajoutons enfin que Ravel,
comme le Chabrier de la *Habanera*, ne déteste pas de doubler
son chant à plusieurs octaves de distance, pour le rendre plus
pénétrant ; qu'il l'ait fait dans la *Pavane* de 1899 ou dans sa
propre *Habanera*, cela pourrait s'expliquer encore par l'influence du vérisme ; mais songeons que les pages les plus
sublimes du *Trio*, doublant la phrase merveilleuse, ne dédai-

1. *Daphnis*, p. 62-65 ; *3e*, *5e*, *6e*, *7e Valses nobles* ; *Heure espagnole*,
p. 82-83 (cf. 98), 106, 108-110, 113 ; *Prélude à la nuit* ; *Placet futile* ; *Tzigane* ;
Sonatine, Menuet ; *Tombeau de Couperin*, Menuet.
2. *Heure espagnole*, p. 79, 111, 113 ; *Allegro* pour harpe (piano seul, p. 10) ;
Daphnis, p. 62-65 ; *2e Valse noble* ; *Placet futile*, p. 6 ; *Tzigane*, p. 2 ; *Vocalise* ; *L'Enfant et les Sortilèges*, p. 70.
3. *Vocalise* ; *L'Enfant et les Sortilèges*, p. 20 (et 38), 62, 67-68 ; *Placet
futile*, p. 6 ; le *Cygne* ; *Sur l'herbe* ; *Chanson italienne* ; *Noël des jouets* ;
Heure espagnole, p. 19.

gnent pas la superposition à deux octaves du violon et du violoncelle et jusque dans *Placet futile* on verra cette tendance subsister[1].

Il y a donc en Ravel un Gonzalve honteux, un bachelier sentimental qui ne veut pas s'attendrir... et qui succombe souvent. Si nous alléguons le pathétique violent et presque mélodramatique de l'*Indifférent,* on nous remontrera sans doute que *Shéhérazade* date de 1903 ; deux ans plus tard, dans la *Vallée des cloches,* ce large épanchement lyrique qui insiste, s'attarde, franchit tout le clavier de bas en haut, il pourrait provenir de Massenet[2]. Mais la frénésie dionysiaque de la *Feria,* mais la furie sensuelle de *Daphnis* avec cette bacchanale qui trépigne et s'énerve, mais, sur le tard, les crescendos passionnés du *Concerto* en Sol expriment le génie même de Ravel : dans ce Concerto une espèce d'exaltation lyrique soulève la cadence du premier mouvement, propulse la main gauche dont le pouce marque le deuxième thème par-dessous les trilles de la main droite, puis entraîne dans un admirable tutti les deux mains du soliste et l'Orchestre lui-même. « En feu ! » prescrit ironiquement la *Fantaisie musculaire* de Satie à l'adresse des romantiques. Or tous les prétextes sont bons à Ravel pour se griser avec le philtre de l'inspiration, et l'ironie a décidément bon dos : des Valses « sentimentales », un Gonzalve parodique dans *L'Heure espagnole,* dans *L'Enfant et les Sortilèges* une parodie du music-hall... Mais la *Passacaille,* qui parodie-t-elle ? Et la danse suppliante de Chloé, avec ses accents véristes, ses élans qui se pâment, serait-elle par hasard ironique ? Non, tout cela est très sérieux. Sérieuse aussi la « copla » de l'*Alborada,* avec ses volutes et ses rubatos ; plus sérieux encore cet intermezzo si lourd de volupté qui interrompt la *Feria* et dont la mélopée, après diverses modulations et fioritures, retombe langoureusement sur sa tonique inférieure *fa* ♮ : ce chant, comme le *Prélude à l'après-midi d'un faune,* est vraiment le poème des parfums et de l'été aphrodisiaque. La tonadilla et les cadences représentent ainsi en plein sarcasme une oasis de flânerie. Le paganisme de *Daphnis,* l'érotisme des orientales dans *Shéhérazade,* et,

---

1. *Petit Poucet ; Habanera ; Pavane pour une infante ; Quatuor,* I ; *Trio,* p. 5-7, 8-9, et le Final ; *Noctuelles,* p. 5, 10 ; *Heure espagnole,* p. 43 ; le *Cygne,* p. 36 ; *Trois beaux oiseaux du paradis ; Placet futile,* p. 7, 9.

2. *Miroirs,* p. 46-47 ; à comparer, pour la courbe, à la ligne mélodique des *Trois beaux oiseaux du paradis.*

dans *Kaddisch*, cette exaltation mystique... voilà certes plus qu'il n'en faut pour confondre la galanterie frivole d'*Adélaïde* ! En même temps que les masques, tombent un par un les lieux communs que l'époque avait déposés autour de cet artiste ; on le voulait bien subtil, mais on ne le voulait pas grand ; orfèvre, joaillier, confiseur, expert en « menuailles », disait-on. Et d'épiloguer sur le caractère cérébral et mesquin de cet art... Pour un orfèvre, cependant, que d'appassionatas ! Car il n'est pas seulement le tambour-major du *Noël des jouets* et de *Laideronnette*, orchestrateur de mirlitons et de coquilles d'amandes : il est encore l'auteur du grandiose *Concerto* pour la main gauche, et de *Tzigane*[1] ; c'est bien lui, le chef d'orchestre des grillons, qui entonne dans le Finale du *Trio* cet hymne colossal où l'on ne sait ce qu'il faut admirer le plus, la somptuosité des harmonies, le sens si naturel de la grandeur, le souffle irrésistible de l'inspiration. Sublime *Trio* décidément, le chef-d'œuvre de ce cœur généreux ! L'empereur des coccinelles, avouons-le, n'avait pas la poitrine trop étroite... Au delà des atomes et des joujoux, au delà même du lointain horizon, le pianissimo immense qui termine le *Grillon* nous fait entrevoir la nuit répandue à l'infini sur les campagnes. Celui qui sut être myope pour nous raconter les Sauterelles et les Renardes possédait le sens de l'illimité le plus royal, le plus panthéiste qui soit. — Mais il arrive aussi que cette puissance s'exalte, s'enfièvre et découvre chez l'humoriste un fond bien singulier de sauvagerie. Surveillons attentivement ces accents farouches, qui nous dévoileront peut-être le côté insurrectionnel de sa nature. Ce sont de brusques violences, des colères de loup — en général deux accords farouchement dissonants plaqués l'un contre l'autre, un cri d'émeute, un rugissement. « Aoua ![2] Méfiez-vous des blancs, habitants du rivage », s'écrient les libres Madécasses, dressés contre leurs tyrans. Et l'Enfant méchant, comme la Sophie de Mme de Ségur[3], leur fait écho : « Hourrah !... je suis libre, méchant et libre ! » A la révolte de l'Enfant contre les disciplines familiales répond, à l'autre bout de la partition, le hurlement des bêtes liguées contre les enfants des Hommes. Même *Daphnis* laisse aboyer les deux syllabes

---

1. *Tzigane*, p. 12 (piano et violon), « Grandioso ».
2. C f. *exemples* p. 187.
3. A. Cœuroy.

rauques pendant la danse de Dorcon, pendant celle des Pirates, et au cours de la Bacchanale finale ; et c'est enfin l'appel de Scarbo, le méchant nain de minuit[1]. Il exprime, cet appel, une protestation révolutionnaire contre l'ordre, la tradition et la loi, une révolte de la nature contre ces lisières mêmes que l'artiste s'impose, une revendication libertaire de solitude. Aoua ! crève l'ordre bourgeois, avec ses gloires officielles ! Même dans la *Pintade* et dans la *Sonate en Duo* il y a des accès de rage qui ne trompent pas. Mais ce ne sont que fâcheries. Il arrive encore qu'au lieu de vomir la civilisation notre Madécasse se trouble : et voilà le romantisme orageux des *Grands vents d'outre-mer*, le fanatisme de *Tzigane*, l'ivresse de l'*Alborada*, les violences de la *Valse*, la fin haletante du *Boléro*, si caractéristique des angoisses, des détresses et des convoitises d'après-guerre. Mais rien n'est plus éblouissant que cette colère, cette divine colère, quand elle est au service de la joie, quand elle affirme la vie au lieu de chercher le néant : et voilà la merveilleuse méchanceté de la *Rhapsodie espagnole* avec son orchestre aux détentes foudroyantes et aux caresses infinies — car elle a, dans sa véhémence, tantôt la souplesse électrique d'un chat, tantôt la sauvagerie d'une force de la nature ; orchestre rageur, bondissant, élastique qui sait mordre cruellement, mais qui a aussi d'ineffables douceurs : — l'union de la fureur et du sommeil, disait Jacques Rivière. Grâce et puissance... n'est-ce pas la devise même de la musique française ? Mais n'est-ce pas aussi chez Liszt, le secret du sublime *Méphistophélès* de la *Faust-Symphonie* ?

Ondine qui pleure, Ondine qui rit... Tous les paradoxes de Ravel tiennent dans ce débat de la confidence et de l'humour, dans cette volonté d'apprivoiser un cœur que la nature lui avait donné fougueux et véhément. Il semble que ce débat se résume dans le conflit des deux thèmes de *Scarbo* : A, chaussé de ses bottes de sept lieues, qui monte et descend à longues foulées ; B, pirouettant sur place, qui est l'élan arrêté.

---

1. *Daphnis*, p. 23, 25, 58-61, 95, 105-106, 108-109, 112. *L'Enfant et les Sortilèges*, p. 9, 87, *Scarbo*, 2e *Chanson madécasse*. Cf. le cri du *Paon*, le *Grillon*.

A Moulay-Idriss, près de Meknès.

Telle est encore l'*Alborada*, cette aubade ambivalente où géométrie et passion, humour et tendresse s'associent étrangement. Comme il connaît bien, cet horloger, les pièges qui le guettent ! Voici quelques précautions qu'il prend contre les démons de la complaisance : d'abord la « sérénade interrompue », c'est-à-dire le développement étranglé. « Prends l'éloquence, et tords-lui le cou. » Avec ses délicieuses habaneras qui allument l'appétit, puis tournent court, *L'Heure espagnole* est tout entière une succession de sérénades interrompues ; un « cahier d'esquisses ». L'Aubade du Gracieux, elle aussi, amorce à chaque pas un couplet sentimental, qu'elle abandonne l'instant d'après en nous laissant pantois, tandis que les bassons rient sous cape : au moment où nous allions le prendre au sérieux, elle a déjà fait la pirouette : tel le gracieux *Trio* en Fa majeur de Saint-Saëns finissant en queue de poisson, sur un strette négligent ; telle la fin du second *Air à faire fuir* de Satie, tel le second *Mouvement perpétuel* de Poulenc, se terminant par une glissade et un pied de nez... Est-ce là ce que le conteur de *Shéhérazade*, à la fin d'*Asie*, appelle « interrompre le conte avec art » ? A la symphonie Ravel préférera donc les variations rhapsodiques avec leurs danses et leurs chants populaires. Parfois Ravel termine, mais au lieu de suspendre il écourte : le laconisme ascétique, l'avare concision et une espèce de malthusianisme mélodique représentent ainsi un second genre de sérénade interrompue ; on le sent très bien dans ces brefs chefs-d'œuvre que sont *Là-bas vers l'église*, la Troisième *Valse noble* et la sérénade de la *Flûte enchantée*, où Ravel écoute le cœur battant la voix mélodieuse des sirènes, le chant défendu, et se demande s'il osera insister... Cette retenue extraordinaire est chez lui non pas tant un stratagème pour agacer notre appétit qu'un antidote de l'amplification littéraire, de la phraséologie et du ronron automatique ; si bien que le décousu apparent du discours chez Debussy et Ravel consiste en somme dans une panique des formules déclamatoires, dans une réduction à l'essentiel ; c'est la redondance dégonflée ! Ainsi du morcelage méphistophélique dans la troisième partie de la *Faust-symphonie* de Liszt. Mais aussi quelle héroïque abstinence il faut pour étrangler ainsi le pathos ! C'est uniquement cette pudeur qui fait la distance de Ravel à Liszt. Car les sérénades de Liszt sont rarement interrompues. Quand Liszt est parti, on sait qu'il ne s'arrête pas si facilement en chemin... Le crescendo écourté représente une troisième forme de Sérénade interrompue. Il y a certes chez Ravel des crescendos qui s'exaltent progressivement, comme par exemple la musette du Menuet dans le *Tombeau de Couperin*. Le *Boléro* n'est autre chose que l'étude d'un crescendo graduel et dont les degrés successifs sont férocement mesurés, avec une sorte de flegme inexorable ; quant à la *Valse chorégraphique* elle connaît les deux à la fois — le crescendo continu qui s'enivre peu à peu de lui-même jusqu'au vertige, et, cinquante-quatre mesures avant la fin, le Forte brutalement interrompu par un pianissimo. Dans l'*Alborada* les nerfs sont rudement secoués par ces crescendos explosifs, crescendos très courts et rudement ramassés, et aussi éruptifs que le bouffon lui-même. — La Sérénade interrompue devient ainsi l'école du dégrisement, car elle exprime en somme la dégringolade de l'idéal dans la vie ; tandis que le *Grillon* représente l'ironie finalement transfigurée en poésie, le *Cygne* signifie plutôt la déception, c'est-à-dire la poésie étranglée par la prose de la vie quotidienne : le pur oiseau de Lohengrin engraisse comme une oie ; le blanc volatile n'est pas si blanc que cela, le blanc volatile n'est qu'une volaille ; le chasseur de nuages n'est qu'un mangeur de limaces ; le cygne n'est pas plus distingué qu'une pintade ! Tel chez Érik Satie le « Porteur de grosses pierres » soulevant à grand-peine un quartier de roc (« c'est une pierre ponce »), tel notre pêcheur de reflets (« il n'a rien »), telle encore l'emphase du Paon, qui signifie le fiasco de la grandiloquence. Hélas ! la fiancée ne viendra pas encore aujourd'hui... Dans le *Golf* des *Sports et divertissements* de Satie le colonel, sportif maladroit, rate son coup et brise son club : le bœuf redevient grenouille ! Il ne faut donc pas se payer de mots si l'on veut être immunisé contre le désenchantement. A cela servent les arides staccatos, les staccatos de *Scarbo* et du *Pantoum* qui criblent de leurs fines piqûres le nuage de pédale romantique ; comme Debussy, Liszt ou Prokofiev Ravel connaît la valeur incisive et caustique des notes graves employées en pizzicatos[1] ; il a éprouvé qu'elles nous empêchent d'être dupes et qu'elles préviennent l'amère désillusion ; les staccatos, crevant la vaine enflure, précipitent la déflation de l'inflation.

Ce débat explique le double visage si aisément reconnais-

---

1. Cf. *Malagueña*, Danse de Dorcon dans *Daphnis, Chanson espagnole, Alborada* (*Miroirs*, p. 33, 35, 42, 43). L'accord de seconde répond au même but. Cf. Debussy, *Boîte à joujoux, En blanc et noir, Jeux, Douze Études*.

sable du mélisme ravélien — l'effusion lyrique, et le jeu. Voici d'abord trois profils mélodiques vraiment fraternels — la courbe si généreuse de *Soupir*, la pénétrante poésie du chant des sirènes dans *Ondine*, et par-dessus tout (ah ! que les horloges lui pardonnent, bien qu'elles n'aient pas de cœur) par-dessus tout ce chant puissant, inouï, qui monte de la terre au début du troisième tableau de *Daphnis* quand le ciel blanchit au levant et que toute la nature tressaille et s'étire autour de Daphnis endormi.

« Le chant plaît à mon âme », dit la troisième *Chanson madécasse*... La longue phrase que déroule l'Adagio du *Concerto en* Sol, avec ses notes de passage pathétiques, l'aria de la Princesse dans *L'Enfant et les Sortilèges*, le *Kaddisch* lui-même témoignent des dons inépuisables de la nature et d'une inspiration mélodique sans cesse renouvelée. Mais voici un second type de ligne mélodique, plus gracile celle-là, et plus futile — non point le fleuve généreux de *Daphnis*, mais un exquis badinage dont les caprices et les répétitions soulignent par jeu la frivolité. Fraîcheur vieillotte, simplicité subtile et docte naïveté — quelles antinomies en épuiseraient le charme ? Le divin je-ne-sais-quoi de Fauré y est reconnaissable, mais c'est autre chose. A la fois populaire et raffiné, évasif et précis, lointain et prochain, candide et précieux, avec je ne sais quelle distinction dans l'enfantillage lui-même, le tendre mélisme se retrouve sous mille formes dans les rondes françaises de la *Sonate en duo*, dans les thèmes du *Quatuor* et de la *Sonatine*, dans la Troisième *Valse noble*, la pastorale de *L'Enfant et les Sortilèges*, l'intermède du *Rigaudon*, les *Beaux oiseaux du paradis*, la *Berceuse* sur le nom de Fauré, sans compter *Laideronnette* et la *Pavane* de *Ma mère l'oye ;* même l'Andante du noble *Concerto en* Ré et l'Adagio du *Concerto en* Sol chantent la puérile chanson. Voilà donc ce profil qui est ensemble ingénu et voluptueux, mièvre et violemment poétique, et tel en un mot qu'une oreille musicienne le recon-

Avec Léon Leyritz, à la Rhûne près de Saint-Jean-de-Luz (1935).

naîtrait entre mille. Il arrive parfois qu'une imperceptible
mélancolie, comme une vapeur de larmes, voile ces divertissements ; en jouant la *Sonatine* ou la Fugue du *Tombeau*
on a le cœur un peu serré, sans savoir pourquoi : ainsi à la
Joyeuse marche de Chabrier fait pendant *Mélancolie*, cette
seconde « Pièce pittoresque » où revit l'*Olympia* de Manet ;
car, comme Baudelaire fasciné par Lola de Valence, Chabrier
a rencontré les yeux fixes du mensonge, ces grands yeux noirs
d'Olympia qui nous regardent tristement. Noble tristesse,
tristesse de la vie, tristesse qui s'exhale de l'humour en général
et de la discrétion qu'un cœur impétueux doit s'imposer !
c'est bien elle qu'on sent à travers les ardeurs réprimées de la
Sonatine, dans ces feintes, ces frissons, ces cabrioles, et dans
cet air fantasque, distant qu'elle prend pour nous parler. —
Il arrive enfin que la pudeur soit la plus forte. Ravel alors se
compose un masque soigneusement imperturbable, dans
l'espoir que rien ne transparaîtra ; Ravel se fait plus méchant
qu'il n'est. Comment empêcher que la tendresse, dans

145

Nahandove, ne se révèle sous l'enveloppe exotérique d'une indifférence affectée ? « Sans aucune nuance », lisons-nous en tête de *Sainte* ; et dans le trio du *Menuet antique* : « Sans aucune accentuation ». « Sans expression », écrit-il paradoxalement au-dessus du chant si intensément lyrique, mais exclusif de tout ritardando, qui remplit la partie médiane du *Gibet*[1]. Sans expression, cette phrase poignante, et si pathétique qu'on en demeure troublé jusqu'au fond de l'âme ! Se moque-t-il de nous, ou joue-t-il tout simplement, à l'exemple de Satie, la comédie de l'indifférence ? Plus son émoi est vif, plus Ravel affecte un ton incolore et gentiment uniforme...

L'anti-romantisme de Ravel a donc été une réaction contre le romantique qu'il aurait pu redevenir si sa volonté avait fléchi. Il n'y a pas que la première chanson de *Don Quichotte* qui soit romantique. Certes les côtés un peu gothiques de *Gaspard*, ne sont que pastiche et décor : ni le *Gibet* n'est une scène hoffmannienne, ni *Ondine* n'est une Lorelei, ni la nuit fantastique de *Scarbo* n'est une nuit de Walpurgis. Ravel est en somme beaucoup plus proche du presto mendelssohnien que des clairs de lune de Schumann[2], et l'invraisemblable mobilité d'imagination de *Gaspard* tranche du tout au tout avec les gauches, les trop sérieux *Kreisleriana*. Ravel est autrement dégourdi que ce bourgeois teuton. Mais sa dextérité est le masque d'une intimité pathétique. Ravel, c'est la convoitise réprimée, l'amitié réticente, la puissance qui ne donne pas d'emblée toute sa force. Ravel n'est pas double comme le Dr Jekyll, mais il est, tel l'arlequin de l'*Alborada*, une créature bigarrée, fantasque et contradictoire. Il est le persiflage, mais il est la ferveur. « En art, dit Debussy, on n'a le plus souvent à lutter que contre soi-même, et les victoires que l'on y remporte sont peut-être les plus belles. » Ce qu'on appelle le « goût » de Ravel, ce goût délicieux qui est fait de mesure, de refus et de discernement exquis, ce bon goût n'est peut-être qu'un mauvais goût étranglé, la conscience du mauvais goût, et du bon, et de soi-même, — une indulgence naissante contenue par le scrupule. La

---

1. *Menuet antique*, p. 4 ; *Gaspard de la nuit*, p. 19 ; *Sainte*. Cf. *Barque sur l'Océan* (*Miroirs*, p. 24). Satie, *Mercure* (Le Bain des Grâces). Poulenc, *Mouvements perpétuels* I (« incolore »), II (« indifférent »). *Napoli* II (Nocturne). *Suite* en Do majeur (Andante). Milhaud, *Saudades* IV et V.
2. Roland-Manuel lui attribue des Variations sur un choral de Schumann, essai de jeunesse, et l'orchestration (inédite) du *Carnaval*.

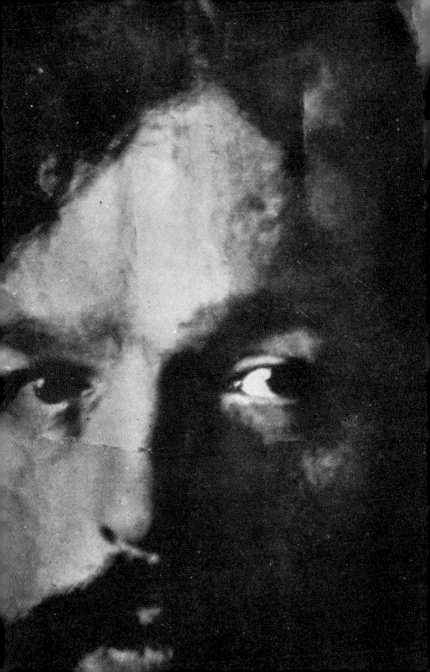

vicieuse préciosité n'est-elle pas un jeu avec le mauvais goût ? L'arrière-conscience de ce sous-entendu qui est du « renoncé »... voilà, n'est-il pas vrai ? tout l'héroïsme du bon goût. Si Ulysse a su éviter les Sirènes, Ravel, comme Déodat de Séverac[1] a parfois écouté la « Naïade de Banyuls »... Ce sont là les jeux de l'amour et de l'humour. Raisonnable et passionnée — ou plutôt à mi-chemin de la passion et de la raison, déclamation perpétuellement interrompue... la musique française n'est-elle pas tout entière *Alborada* ?

Arrivés en ce point nous serons peut-être à même de délimiter nettement le monde de Ravel et le monde de Debussy ; la comparaison a été faite maintes fois[2], et avec le souci bien légitime de différencier ce que l'époque avait parfois confondu. Il est fort possible, tant le mieux est l'ennemi du bien, qu'on ait à présent inventé des oppositions et coupé les cheveux en quatre ; car si un peu de lucidité aide à différencier ces deux grands créateurs, beaucoup de lucidité les rapproche. Sur le plan technique les différences sont décisives et incontestables. Debussy toute sa vie est resté fidèle à la gamme pantonale et aux divers accords altérés, quintes augmentées qu'elle engendre. Chez Ravel il n'y a pour ainsi dire pas trace d'échelle hexaphonique, et on hésite à appeler de ce nom une tendance infiniment vague de *Jeux d'eau* ou de *Barque sur l'Océan* à progresser par tons entiers. La septième majeure lui est propre, comme à Debussy les successions parallèles de septièmes ou neuvièmes ; mais aussi la seconde majeure leur est commune, comme d'ailleurs l'habitude d'aborder sans préparation ou quitter sans résolution les accords disso-

---

1. *Sous les lauriers-roses.*
2. Roland-Manuel, *Maurice Ravel et son œuvre dramatique*, p. 17-20 ; Alfred Cortot, la *Musique française de piano*, t. II, p. 15-22 ; Alberto Mantelli dans la *Rassegna musicale*, 1938, II, p. 63. Dans le numéro *Ravel* de la *Revue musicale*, les articles d'André Suarès (*Pour Ravel*, p. 7), Émile Vuillermoz (le *Style orchestral*, p. 23), Alfredo Casella (l'*Harmonie*).

Debussy. (photo prise par P. Louys).

nants. Là n'est donc pas l'essentiel, mais plutôt, comme M. Mantelli l'a montré avec une précision si aiguë, dans une certaine manière d'être de la dissonance elle-même, plus fondante chez Debussy, plus dure et statique et sur elle-même refermée chez l'auteur d'*Adélaïde*. De là, dans les *Valses nobles* et *L'Enfant et les Sortilèges*, ces appoggiatures immobilisées, ces accords sans voie de sortie que nous connaissons bien et qui marquent surtout le régime clos de la dissonance ; de là encore la bitonalité, qui vient de la fausse note pétrifiée ; chez Debussy, dans la *Boîte à joujoux*, *Rondes de printemps*, *Iberia*, *En blanc et noir*, *Pour les sonorités opposées*, la bitonie exprime poétiquement la coexistence et la coprésence de toutes les créatures et crée une atmosphère harmonique où les accords, saisis dans leur stade évanescent, vibrent et frissonnent et se compénètrent avec une divine ambiguïté. Confrontons, pour fixer les idées, les deux versions, ravélienne et debussyste, des *Poèmes* de Mallarmé. On admirera d'abord qu'elles divergent seulement sur le choix de la troisième mélodie, pour laquelle Debussy a préféré l'indolent *Éventail* tandis que Ravel, toujours amoureux du difficile, a choisi un sonnet hermétique. *Soupir*, chez Ravel, emploie bien plus de notes que chez Debussy ; la ligne vocale, très ferme, s'appuie sur de clairs arpèges qui jettent comme des reflets lamés. Sur ces mêmes vers Debussy a écrit une sorte de madrigal verlainien ; la ligne vocale, plus repliée sur elle-même, et souvent sans accompagnement, flotte sur de doux accords vaporeux qui vous frôlent la joue comme une caresse. Et de même *Placet futile* devient chez Debussy un délicat menuet tout en demi-teintes, une sorte de rondel où passent en frémissant de légers gruppettos de quadruples croches qui effleurent le clavier. L'apostrophe « Princesse ! » est descendante chez Debussy, montante chez Ravel. Ce dernier, après un assez long prélude du piano seul, enroule une mélodie précieuse, baroque et assez gongoresque qui incurve la ligne vocale et lui impose de grands écarts en l'empêchant de trembler. La parure pianistique, où se détache le froid mouvement de septième majeure — la note à côté — est riche autant que nette. Une seule rencontre entre les deux musiciens, sur les mots « Chez tous broutant les vœux et bêlant aux délires » qu'ils ont pareillement harmonisés avec des septièmes parallèles faites de tierces empilées. Les mêmes impressions frapperaient quiconque écoute l'une après l'autre l'anxieuse, voluptueuse *Sonate* en Sol mineur pour piano et violon de Debussy et la limpide *Sonate* en Sol majeur de Ravel. Comparez encore l'éblouissante Ondine de *Gaspard de la nuit* et l'Ondine debussyste du deuxième cahier des *Préludes* avec ses doux scintillements, ses irisations, son air de mol abandon. Comparez les deux Toccatas, celle du *Tombeau de Couperin* qui tourne et travaille comme un moteur et martèle l'ivoire inexorablement, celle de la Suite *Pour le piano*, plus capricieuse, plus féminine, avec je ne sais quelles mourantes vibrations autour des notes. On vérifierait de même les marques différentielles du debussysme et du ravélisme en comparant l'Espagne floue, estompée, vaporeuse de la *Sérénade interrompue* et l'éclatante Andalousie de l'*Alborada*, où en confrontant les deux hommages à Haydn : sur le nom de Haydn Debussy a écrit une Valse onduleuse et fantasque qui est toute improvisation, Ravel un Menuet gracile et faussement suranné, qui est le pastiche d'un pastiche. — Entre l'orchestre de Debussy et l'orchestre de Ravel la nuance est pareillement imperceptible, mais si révélatrice : plus de nonchalance, de grisaille et de fondus en celui-là, des sonorités plus métalliques, des rythmes plus aigus, un mélisme plus incisif et plus aride, un air plus sec en celui-ci. Et de là vient que l'orchestre debussyste demande à l'interprète une sorte de recréation, au lieu que l'orchestre ravélien, limitant l'initiative de l'instrumentiste, n'admet que la fidèle exécution du texte. Les airs de la rue, dans *Iberia* — lambeaux de habaneras, musiques lointaines — s'effilochent et tournoient rêveusement au bord de la nuit ; mais dans la *Rhapsodie espagnole* les chansons populaires, anguleuses et trébuchantes, se présentent à l'état complet. *Fêtes*, le second « Nocturne » d'orchestre, comme les *Feux d'artifice* du deuxième cahier des Préludes, évoquent un Quatorze Juillet évasif et presque onirique amorti par la distance, tamisé par la brume, émietté par nos songeries ; mais la pétulante *Feria* catalane de la « Rhapsodie » est tout incendiée de soleil. Ce n'est pas Ravel, c'est Debussy qui recherchait les jardins mouillés par la pluie, la grisaille écossaise, l'automne océanique ! Aucune poésie au monde n'est plus étreignante que cette poésie debussyste de l'imprécis et de la suggestion fragmentaire ; cela vous prend à la gorge et vous bouleverse jusqu'aux larmes. Mais pour le coloris instrumental nul ne peut rivaliser avec Maurice Ravel. — Il n'est pas jusqu'aux formes et aux genres qui ne les différencient. André Suarès oppose quelque part la Danse ravélienne et le Prélude debussyste — le « prélude », c'est-à-dire l'image atmosphérique, indécise et fuyante, dont le titre lui-même est inscrit après coup, pour ne pas immobiliser l'imagination du pianiste. Ravel, lui, s'est soumis sans déplaisir aux disciplines classiques, à la forme sonate et au débat des thèmes : Trio, Quatuor, deux Concertos, deux Sonates instrumentales et une Sonatine pour piano témoignent suffisamment de son goût pour la rigueur logique des pensées. *Daphnis*, avec ses prétentions architectoniques, dément M. Croche, qui raille le jeu studieux des symphonies. Ce jeu lui plaît, comme tous les jeux, et notamment comme les exercices du contrepoint. Même le poème des *Jeux d'eau*, qui est une sorte de fresque, comporte deux sujets et une réexposition comme une sonate. Ce n'est pas que Ravel ait le culte du développement, et il lui arrive de camoufler le plan traditionnel : comme il y a une Aria et une Burla dans la *Sonate en* Fa ♯ de Schumann, une Mazurka et un Intermezzo dans la *Sonate* en Si bémol mineur de Balakirev, ainsi le scherzo du *Trio* est un Pantoum et le largo une Passacaille ; et de même l'andante de la *Sonate* de violon s'appellera Blues et le finale Perpetuum mobile. Mais Ravel apprécie la construction, et l'on sait de reste qu'il recherche volontiers, pour s'assouplir, la gymnastique des contraintes gratuites. — L'évolution si dissemblable de ces deux créateurs résume bien les oppositions de leurs natures. Rappelez-vous : Ravel va droit au but, et l'inévitable période des tâtonnements est chez lui réduite au minimum. Il lambine bien davantage, le nonchalant Debussy, avec son épiderme follement sensible, sa réceptivité exceptionnelle et cette sorte de spontanéité végétale qui, selon Mantelli, caractérise ses découvertes. Ravel fait flèche de tout bois, Ravel prend son bien partout où il le trouve : chez Schœnberg, chez Wiener et Doucet, au musée Grévin... Ravel exploite et consulte, — mais Debussy rencontre par hasard et passivement.

Et pourtant l'art de Ravel n'offre guère de particularités qui ne puissent convenir tout aussi bien à l'art de Debussy. En réalité Debussy est ravélien comme Ravel est debussyste. Ravel d'abord sait être plus debussyste que Debussy lui-même, comme on le voit bien dans ce *Martin-pêcheur* des *Histoires naturelles* dont le flou annonce déjà *Brouillards* et *Feuilles mortes*. Et puisqu'il est question de brume rappelons-nous la conclusion de la Huitième *Valse noble*[1], et aussi la fin du

---

1. Pour cette fin, cf. Debussy, *Placet futile* et *Pour la danseuse aux crotales* (des Épigraphes antiques).

Menuet du *Tombeau,* où le dessin a perdu son relief et ses saillies. La *Vallée des cloches* et *Oiseaux tristes* représentent par rapport à *Miroirs* ce que représentent le *Cygne* et le *Martin-pêcheur* par rapport aux *Histoires naturelles* — une esthétique impressionniste et une certaine technique de l'estompe. Et que dire encore du printemps debussyste de *Daphnis*[1] ! — En revanche si les *Estampes* ont agi sur *Laideronnette,* les *Jeux d'eau* à leur tour ont peut-être influencé les *Estampes,* comme la *Rhapsodie espagnole* a influencé les *Parfums de la nuit*[2]. Surtout la fameuse pédale de la *Habanera* de 1895 vibre encore à travers la *Lindaraja,* et jusqu'à la *Soirée dans Grenade*[3]. Il est possible que le durcissement des notes dans les dernières œuvres de Debussy, depuis les *Images* d'orchestre jusqu'à *Jeux*[4], se soit accompli en grande partie sous la pression de Ravel. Debussy, talonné par son cadet, se serait hâté de devenir antidebussyste. Mais Debussy est tellement grand, tellement génial qu'il a bien pu devancer l'anti-debussysme : les merveilleuses et dures mécaniques d'acier des *Épigraphes antiques* et des *Douze Études* réagissent avant les « Six » contre l' « impressionnisme ».

Il n'a manqué à Ravel, pour égaler Debussy, que de le devancer. Ce sont bien les mêmes passions qui les déchirent : d'un côté, comme de l'autre, des terminaisons sensorielles exceptionnellement déliées, un réalisme absolu, le goût de la donnée immédiate ; et puis l'extrême sensualité, la violence, — le Madécasse. Viñès se représentait Debussy comme un aventurier du quattrocento qui aurait pu être aussi bien condottiere, empoisonneur ou architecte. Debussy a lutté contre l'impatience de ses désirs et de ses instincts, mais en fait le raz-de-marée l'a souvent emporté : et de là vient qu'il

---

1. *Laideronnette* joue sur les touches noires comme *Pagodes* (Cortot, p. 43). En revanche on ne voit guère ce que le début du *Gibet* doit à l'*Hommage à Rameau* (Roland-Manuel). Il paraît que la cantate *Alcyone* s'inspirait du *Quatuor* de Debussy. *Heure espagnole,* p. 34, 40 : une innocente parodie de *Pelléas*? Ravel défendit ardemment *Rondes de printemps* et les Parfums de la nuit d'*Iberia* (*Cahiers d'aujourd'hui,* 1913, II). *Daphnis,* p. 3 et 31.
2. *Jardins sous la pluie* (Cortot, p. 31 ; Gil-Marchex, art. cité. H. Jourdan-Morhange p. 61). Cf. *Jeux d'eau,* p. 3, pour un signe avant-coureur de *Sirènes. Iberia* II, 44-49.
3. Léon Vallas, *Debussy,* p. 232. Louis Laloy, la *Musique retrouvée,* p. 167.
4. P. 17-18 de la partition de piano, dont les subtiles agrégations rappellent les *Histoires naturelles.* Cf. *Martyre de Saint Sébastien,* p. 57 (p. et ch.).

ait joui bien davantage de la vie, qu'il ait été plus fécond que Ravel, que le souffle créateur de l'inspiration ait été chez lui plus véhément, plus impudique et plus généreux. Mais si c'est le métier que vous voulez dire, et le goût, et la maîtrise technique, alors l'inégal Debussy n'est qu'un apprenti auprès de Ravel. La sobriété chez Ravel a été si loin qu'elle l'aurait pour un peu stérilisé... A force de tenue et de retenue, qui sait si cette extrême conscience, cette souveraine ironie n'eussent pas tari la rivière des chants mélodieux ? On sait comme il s'acharne contre la « haïssable sincérité, mère des œuvres loquaces et imparfaites » ; sans doute lui impute-t-il les bavardages démonstratifs et tout ce choquant gaspillage d'émotion qui avilit la sensibilité, galvaude le langage, déprécie enfin les vrais mouvements du cœur. Cette demi-visibilité du sentiment que Nietzsche admirait chez Sophocle, n'est-elle pas ravélienne ? Quelque chose de la pudeur de Racine, de Malebranche et de Pascal — la phobie de l'introspection, l'horreur de l'autobiographie et du journal intime — revit en ce classique. « Le moi est haïssable. » « Le sot projet qu'il a de se peindre ! » Cette objectivité lui est commune avec Rimski-Korsakov. Mais la pudeur s'unit en lui à la lucidité affective. « Je vois clair dans mon cœur. » Repensez à la stratégie galante d'*Adélaïde*, et surtout au délicieux marivaudage de la Belle et de la Bête avec ses aveux sans emphase, ses coquetteries, élans réprimés et, au bout du compte, la fin de tous les malentendus ; c'est là, comme dans la comédie de Musset *Il faut qu'une porte soit ouverte ou fermée*, le jeu ambigu de deux cœurs très lucides dont aucun n'est dupe de l'autre et qui, feignant l'indifférence, avançant ou reculant, gardent le contrôle le plus exact de leurs ardeurs. « L'amour et la raison n'est qu'une même chose », affirme le *Discours sur les passions de l'amour*. » « Les poètes n'ont donc pas raison de nous dépeindre l'amour comme un aveugle ; il faut lui ôter son bandeau et lui rendre désormais la jouissance des yeux. » Tant de finesse, jointe à tant d'intelligence, suppose des siècles de civilisation amoureuse, et un sens aigu des choses du cœur. Mais qui ne voit alors que Ravel fait à la sincérité des scènes d'amoureux ? L'imposteur, heureusement, n'arrive pas à toucher le fond de sa propre imposture, l'humoriste sera sincère malgré lui. Les vivants sont comme des machines, mais les machines à leur tour ont une âme ; et si la nature n'est qu'une première convention, la convention elle-même est redevenue nature. Dans tous ces petits êtres d'acier, d'étoffe et de porcelaine, voilà que nous sentons battre un cœur tendrement humain.

La musique de Ravel exprimera quelque chose, mais seulement parce qu'elle ne l'aura pas voulu ; elle ne dément donc ni Stravinski ni Alain : « l'expression n'a jamais été la propriété immanente de la musique »[1]. Ravel sera profond justement parce que superficiel : c'est le type même de la profondeur limpide, celle de Vermeer et de Terborch, celle qui tient tout entière dans la précision. Le contraire de la profondeur dialectique. Le lac est profond, dit Roland-Manuel, où plonge la merveilleuse Ondine. Ainsi vive l'apparence qui nous révèle, avec le néant de la fausse profondeur, la profondeur cristalline de l'ingénuité. Cette divine ingénuité, il l'a cherchée autour de lui sous bien des formes différentes — chez les bêtes, pour lesquelles toute son œuvre depuis la zoologie des *Histoires naturelles* témoigne de son fidèle amour, et surtout dans l'enfance. Les enfants n'ont pas été pour lui, comme pour Schumann, un mystère métaphysique, de petits êtres profonds, graves et « presque trop sérieux » — « fast zu ernst » —, mais tout simplement de gentilles anecdotes qui ne signifient pas autre chose que ce qu'elles sont : car c'est le propre

1. I. Stravinski, *Chroniques de ma vie* I, p. 116. Alain, *Préliminaires à l'Esthétique*, p. 230 : « La musique n'exprime pas les passions, elle les efface ».

de l'innocence que d'être profonde par le seul fait de sa présence, parce qu'elle existe, et non point parce qu'elle serait l'allégorie ou le signe d'autre chose. Ainsi l'Innocent de *Boris* prophétise sans prévoir. Profonde innocence et docte candeur... c'est là, chez Debussy, le seul mystère de Mélisande, et le plus grand de tous puisqu'il n'y a précisément rien à en dire. Le mystère de Mélisande, et aussi de sa sœur la petite fille aux cheveux de lin, la Mélisande hyperboréenne, celle qui est la fée des joncs et des bruyères : qui est, comme sa sœur, heureuse mais triste. Le mystère de Mélisande et aussi de sa sœur russe, la douce Fevronia, Fevronia Mouromskaïa la très pure, la diaphane, dont l'ingénuité transfigure, chez Rimski-Korsakov, la sublime musique de *Kitège la Ville invisible*. Ici cesse l'herméneutique des masques. Ici tout est devenu clair, virginal et parfaitement translucide. Une obscure pureté. Pourtant cette transparence elle-même est conquise sur une primitivité élémentaire : car le petit être déchaîné de *L'Enfant et les Sortilèges* ne ressemble en rien à la sage poupée de *Children's corner* qui travaille son *Gradus ad Parnassum* et, comme la Dolly de Fauré, joue avec son éléphant dans une nursery très occidentale ; avec ses instincts de destruction il rappellerait plutôt les sauvageons de Moussorgski. Si donc « le poète parle », ce n'est pas pour déchiffrer l'énigme ou dégager le sens caché de ces jeux, mais pour nous montrer les puissances passionnelles transfigurées par la bonté. Il n'y a pas de secret. En cela Ravel serait plus près des exquises Chansons enfantines d'Anatole Liadov que des albums de Tchaïkovski. Certes le Ravel de *Ma mère l'oye*, de la *Sonatine*, du *Noël des jouets* et surtout de *L'Enfant et les Sortilèges* a pu s'amuser, comme Debussy dans la *Boîte à joujoux*, de la perspective microscopique qu'un regard enfantin prête aux choses ; car il y a une échelle minuscule, une optique de l'infiniment petit qui font saillir les détails et auxquelles les Enfantines ou nurseries musicales donnent facilement prétexte : telle la perspective des fourmis dans le *Festin de l'araignée* où les chats sont gros comme des éléphants. L'enfant n'est pas un adulte en miniature. Mais il y a bien autre chose. L'artiste le plus retors de toute la terre était aussi l'être le plus puéril qu'on puisse imaginer ; puéril comme le prince Mychkine de Dostoïevski ; énigmatique, silencieux et discret comme l'Incompréhensible de Moussorgski ; conscience crédule, « mignonnelette, maigrelette », on dirait qu'il n'est vraiment

à son aise que dans la société des
rossignols, des hannetons, des chats
et des enfants. Maurice Ravel lui-
même est rossignolet, soloviouchka,
comme la vierge Fevronia. Parmi
toutes les gamineries plus ou moins
suspectes de l'après-guerre, entre
toutes les formes si concertées de
l'infantilisme moderne, Maurice Ravel
représentait l'innocence. Depuis qu'il
est mort c'est notre innocence qui
est morte.

« Il a gémi... Je souffre et je saigne. »
« Il souffre, il est blessé, il saigne... »
Ces deux plaintes éveillent, l'une
dans le *Martyre de saint Sébastien*,
l'autre à la fin de *L'Enfant et les
Sortilèges*, un même élan de bonté ;
la monodie de Debussy, harmonisée
par des tierces presque ravéliennes,
le chœur presque debussyste de Ravel
nous chuchotent un même secret.
« Il est bon, l'Enfant, il est doux »
chante le chœur bienveillant des Animaux, et ces trois syllabes affectueuses
évoquent irrésistiblement l'aube de
Daphnis. Car tel est en définitive le message suprême de
l'innocence : la rédemption gracieuse par le mouvement
de pitié, la valeur infinie d'un élan charitable. Et de même
la métamorphose de la Bête en Prince charmant signifie
qu'il sera beaucoup pardonné à une âme pure et que l'amour
sincère peut embellir toute laideur. Mais cela, Ravel aurait
rougi de l'avouer, tant il eût craint d'être mécompris. Ravel
préférera donc paraître n'adhérer à rien. Mais la tendresse
passionnée reparaît encore dans ces mélodies qui se replient
vers le bas comme un regard pudique, et dont on pourrait dire
ce que disait Pierre Louÿs de la Deuxième *Chanson de Bilitis* :
qu'on se sentait nu rien qu'à l'écouter. « Et il me regarda si
tendrement que je baissai les yeux avec un frisson. »

Chronologie

Ces notes brèves sur la vie et l'œuvre de Ravel doivent tout aux livres irremplaçables de Roland-Manuel, d'Hélène Jourdan-Morhange et à la correspondance réunie par Marcelle Gérar et René Chalupt. Forcément schématiques, loin de dispenser de la lecture de ces livres, elles voudraient inciter les ravéliens à découvrir Ravel là où il est le plus présent : dans les écrits de ceux qui l'ont connu.

On trouvera sur la page de gauche la liste des principales œuvres et l'énoncé des circonstances qui s'y rapportent. Sur la page de droite, Ravel parle. Nous avons emprunté à l'Esquisse biographique, rédigée en octobre 1928 par Roland-Manuel sous la dictée de Ravel, à la demande d'une maison de pianos automatiques, et publiée pour la première fois dans le numéro spécial de « La Revue Musicale » (décembre 1938). Ces passages sont suivis de la mention (E. B.) Tous les fragments de lettres cités en outre sont extraits (à l'exception d'un ou deux qui appartiennent au livre de Roland-Manuel) de Ravel, au miroir de ses lettres, avec l'aimable autorisation de ses auteurs, que nous remercions bien sincèrement.

F.-R. B.

La mère de Ravel.

7 mars 1875 : Naissance de Maurice Ravel, au numéro 12 du quai de la Nivelle, actuellement quai Maurice-Ravel, à Ciboure, près de Saint-Jean-de-Luz. Son père, Joseph Ravel, ingénieur, est l'inventeur d'un « générateur à vapeur chauffé par les huiles minérales, appliqué à la locomotion », et du « moteur surcomprimé à deux temps ». La famille Ravel est originaire d'un village de Haute-Savoie. Joseph lui-même est né sur les bords du lac Léman. Appelé en Espagne, après la guerre de 1870, pour participer à la construction des voies ferrées, il rencontre Maria Deluarte sous les ombrages d'Aranjuez et l'épouse en 1874. Le Savoyard et la jeune Basquaise se fixent à Ciboure.

 A l'âge de trois mois, je quittai Ciboure pour Paris, où j'ai toujours demeuré depuis. Tout enfant, j'étais sensible à la musique — à toute espèce de musique. Mon père, beaucoup plus instruit dans cet art que ne le sont la plupart des amateurs, sut développer mes goûts et de bonne heure stimuler mon zèle.

 A défaut du solfège, dont je n'ai jamais appris la théorie, je commençai à étudier le piano à l'âge de six ans environ. Mes maîtres furent Henri Ghys, puis M. Charles René, de qui je pris mes premières leçons d'harmonie, de contrepoint et de composition.

 En 1889 je fus admis au Conservatoire de Paris dans la classe de piano préparatoire d'Anthiôme, puis, deux ans plus tard, dans celle de Charles de Bériot. (E. B.)

Joseph Ravel et ses deux fils (à g. Edouard, à d. Maurice).

1891 : première médaille de piano. Son meilleur ami est Ricardo Vinès, qui deviendra un de ses meilleurs interprètes. Les deux jeunes élèves, pris d'enthousiasme pour les « Trois valses romantiques » de Chabrier les étudient et vont les jouer au compositeur.

Le Lundi 15 Février 1892, à 9 Heures très précises

• CONCERT •

CONSACRÉ AUX

✦ ŒUVRES DE SCHUMANN ✦

DONNÉ PAR

HENRY GHYS

AVEC LE BIENVEILLANT CONCOURS DE

**Mesdames Vera SEROFF, Marguerite des LONGCHAMPS
MM. HAYOT, GIANNINI, Maurice RAVEL et Emile GHYS**

1893 : *Sérénade grotesque* (influence de Chabrier).

1894 : *Ballade de la reine morte d'aimer* (influence d'Erik Satie, que Ravel a rencontré grâce à son père au café de La Nouvelle Athènes).

1895 : A vingt ans, Ravel est un « jeune homme volontiers narquois, raisonneur et quelque peu distant, qui lit Mallarmé et fréquente Erik Satie » (Cortot). Ravel lit aussi Baudelaire, Edgar Poe, Villiers de l'Isle-Adam et Condillac (au même âge, Stendhal faisait ses délices du même Condillac et de son « Traité des Sensations »).

1897 : Classe de contrepoint et de fugue sous la direction d'André Gédalge et classe de composition de Gabriel Fauré (quelques années plus tôt, Debussy, dans cette même classe, avait eu Guiraud comme professeur).

En 1895, j'écrivis mes premières œuvres publiées : le Menuet antique *et la* Habanera *pour piano. J'estime que cette œuvre contient en germe plusieurs éléments qui devaient prédominer dans mes compositions ultérieures.* (E. B.)

*On ne saurait mieux mesurer l'importance de Fauré qu'en étudiant ses mélodies qui ont fait gagner à la musique française l'hégémonie du lied... Délaissant les rigueurs de son professeur Saint-Saëns, Fauré fut sollicité davantage par l'indéniable couleur « gounodienne »... Gounod, le véritable instaurateur de la mélodie en France, Gounod, qui a retrouvé le secret d'une sensualité harmonique perdue depuis les clavecinistes des XVII*e *et XVIII*e *siècles.*

(Numéro spécial de la *Revue Musicale* consacré à Fauré, 1923).

Fauré tissant la partition de Pénélope (caricature de Losques).

27 mai 1899 : Première audition, sous la conduite de l'auteur, de l'ouverture de *Shéhérazade* à la Société Nationale. Ravel est copieusement sifflé. La même année, *Pavane pour une infante défunte*.

1901 : Ravel se présente pour la première fois au Prix de Rome et met en musique une cantate d'un M. Beissier intitulée *Myrrha*. Il obtient un second grand prix. Massenet a essayé de lui faire donner le premier, que remporte André Caplet.

Les logistes du Prix de Rome 1901 : de d. à g. : Ravel, Bertelin, André Caplet, Aymé Kunc et Gabriel Dupont.

1902 : *Quatuor en fa*. Debussy écrit à Ravel : « Au nom des dieux de la musique, et au mien, ne toucher à rien de ce que vous avez écrit de votre quatuor. » De son côté, Ravel avouera plus tard à Mme de Zogheb que *c'est en entendant pour la première fois « L'Après-midi d'un faune » que je compris ce qu'était la musique*.

1902 : Concours du prix de Rome. Cantate intitulée *Alcyone*. M. Aymé Kunc reçoit le grand prix.

Je n'éprouve aucune gêne à en parler, elle est assez ancienne pour que le recul la fasse abandonner du compositeur au critique. Je n'en vois plus les qualités, de si loin. Mais hélas ! j'en perçois fort bien les défauts : l'influence de Chabrier, trop flagrante, et la forme, assez pauvre. L'interprétation remarquable de cette œuvre incomplète et sans audace a contribué beaucoup, je pense, à son succès.

Les Jeux d'eau, *parus en 1901, sont à l'origine de toutes les nouveautés pianistiques qu'on a voulu remarquer dans mon œuvre.* (E. B.)

Dès l'apparition de « Pelléas et Mélisande », [les critiques] se mirent à la tête des partisans de Debussy ; dès ce moment, ils avaient décidé sa perte. L'œuvre était inquiétante, ils la déclarèrent sublime mais exceptionnelle. Le mot d'impasse fut prononcé ; puis, l'on attendit. Là-dessus, un grand nombre de jeunes gens s'avisèrent de vérifier les affirmations des critiques, et découvrirent au fond de l'impasse une porte largement ouverte sur une campagne splendide, toute neuve.

(Article paru dans le bulletin de la S. I. M., nov. 1912.)

163

Portrait par Ouvré (1902).

Déodat de Séverac.

1903 : Concours du prix de Rome. Cantate intitulée *Alyssa*. M. Raoul Laparra reçoit le grand prix.

1904 : Ravel renonce à se présenter. Il écrit *Shéhérazade*, pour chant et orchestre, sur des poèmes de Tristan Klingsor.

1905 : Concours du prix de Rome. Ravel n'est même pas autorisé à entrer en loge pour le concours préparatoire. Un membre de la Section Musicale de l'Institut déclare : « Monsieur Ravel peut bien nous considérer comme des pompiers : il ne nous prendra pas impunément pour des imbéciles... » La grande presse dénonce le scandale. C'est « l'Affaire Ravel ». Romain Rolland lui-même proteste énergiquement. Ravel, invité par ses amis Edwards (directeur du *Matin*, journal qui accueille au même moment les premières nouvelles de Giraudoux) s'embarque à bord de leur yacht « l'Aimée » pour une croisière en Hollande. L'amitié sauve Ravel de sa déconvenue. M\ :sup:`me` Edwards est née Misia Godebska et les Godebski ont été, à cette époque, avec les Sordes, les deux grands pôles de toutes les rencontres ravéliennes : Léon-Paul Fargue, Maurice Delage, Roland-Manuel, Ingelbrecht, Déodat de Séverac, Falla, Florent Schmitt, La Fresnaye, Jean Cocteau, Valery Larbaud, Georges Jean-Aubry, Stravinsky, Diaghilev, Nijinsky, etc... sans oublier un membre tout à fait imaginaire de la « compagnie », *Gomez de Riquet,* dont on parlait beaucoup, sans jamais le voir.

1905 : *Miroirs,* pièces pour piano *(Noctuelles, Oiseaux tristes, Une barque sur l'Océan, Alborada del Gracioso, La vallée des cloches)* et *Sonatine* pour le piano. Ravel songe un certain temps à tirer une féerie dramatique de « La Cloche engloutie » du dramaturge allemand Gerhardt Hauptmann. Il habite avec sa famille, 11 bis, rue Chevallier à Levallois-Perret, près de l'usine que dirige son frère Édouard.

Hier excursion à Alkmaar. Marché aux fromages accompagné d'un sempiternel carillon. En route, un spectacle des plus magnifiques. Un lac bordé de moulins. Dans les champs, des moulins jusqu'à l'horizon. De chaque côté que l'on regarde, on ne voit que des ailes qui tournent. On finit par se croire automate soi-même à l'aspect de ce paysage mécanique. Avec tout cela, je n'ai pas besoin de vous dire que je ne fiche rien. Mais j'emmagasine et je crois qu'il sortira un tas de choses de ce voyage. En tous cas, je suis parfaitement heureux pour le moment, et j'ai eu bien tort de m'inquiéter dans un moment de marasme. Vous savez comme je suis capable de prendre les choses les plus tragiques, et, mon Dieu, il y en a de pires !

(Lettre écrite à bord de « l'Aimée », le 29 juin 1905, et adressée à Maurice Delage.)

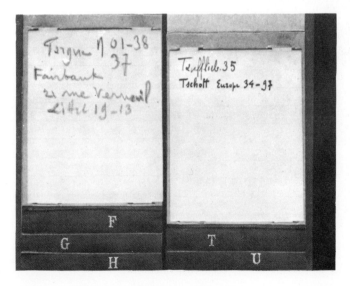

Ravel et Léon-Paul Fargue se téléphonaient souvent...

Joseph Ravel.

1906 : Voyage sur les bords du lac de Genève, où Joseph Ravel se repose des premières atteintes d'un mal qui l'emportera en 1908.

12 janvier 1907 : Première audition, salle Erard, des *Histoires Naturelles*, sur des poèmes de Jules Renard, dans un beau « chahut ». Le critique du « Temps », M. Pierre Lalo, parlera d'une musique « de café-concert avec des neuvièmes ».

28 mars 1908 : Première audition, au Châtelet (Concerts Colonne) de la *Rhapsodie Espagnole (Prélude à la nuit, Malagueña, Habanera, Feria)*. La *Malagueña* est bissée. « La Rhapsodie, écrit Manuel de Falla, me surprit par son caractère espagnol. En parfait accord avec mes propres intentions (et tout à l'opposé de Rimski dans son « Capriccio »), cet hispanisme n'était pas obtenu par la simple utilisation de documents populaires, mais beaucoup plus (la *jota* de la *Feria* exceptée) par un libre emploi des rythmes et des mélodies modales et des tours ornementaux de notre lyrique populaire, éléments qui n'altéraient pas la manière propre de l'auteur... » *(Revue Musicale,* mars 1939.)

1907 : *L'Heure Espagnole*. Après qu'il eut fait entendre à son librettiste Franc-Nohain la partition réduite au piano, celui-ci dit seulement à Ravel : « Cinquante-six minutes ».

1908 : *Ma Mère l'Oye*, pièces pour piano dédiées à Mimie et Jean Godebski. *Gaspard de la Nuit*, pièces pour piano, d'après Aloysius Bertrand.

1911 : *Valses Nobles et Sentimentales*. L'épigraphe est d'Henri de Régnier : « Le plaisir délicieux et toujours nouveau d'une occupation inutile ».

*Le langage direct et clair, la poésie profonde et cachée
des pièces de Jules Renard me sollicitaient depuis longtemps.
Le texte même m'imposait une déclamation particulière
étroitement liée aux inflexions du langage français. Les*
Histoires Naturelles *m'ont préparé à la composition de*
L'Heure Espagnole, *comédie lyrique dont le livret est de
M. Franc-Nohain, et qui est elle-même une sorte de conversation en musique. L'intention y est affirmée de renouer
avec la tradition de l'opéra-bouffe* (E. B.)

Le titre de Valses Nobles et Sentimentales *indique assez
mon intention de composer une chaîne de valses à l'exemple
de Schubert. A la virtuosité qui faisait le fond de* Gaspard
de la Nuit *succède une écriture nettement plus clarifiée,
qui durcit l'harmonie et accuse les reliefs de la musique.
Les* Valses Nobles et Sentimentales *furent exécutées pour
la première fois au milieu des protestations et des huées,
au concert sans nom d'auteur de la S. M. I. Les auditeurs
votaient pour l'attribution de chaque morceau. La paternité
des* Valses *me fut reconnue — à une faible majorité. La
septième me paraît la plus caractéristique.* (E. B.) [1]

---

1. Seul Louis Aubert, en effet, à qui l'œuvre est dédiée, connaissait le
nom de l'auteur de cette suite, et c'est lui qui l'interpréta lors de ce mémorable concert. Parmi les bulletins de votes, on en compta plusieurs
qui attribuaient les *Valses* à Erik Satie, à Zoltan Kodaly...

Illustration de Toulouse-Lautrec pour les Histoires naturelles.

Décor de L'Heure Espagnole.

19 mai 1911 : Première à l'Opéra-Comique de *L'Heure Espagnole*, qui a attendu quatre ans la décision de M. Carré. Complément d'affiche : « Thérèse », de Massenet. M. Pierre Lalo écrit dans « Le Temps » : « Son comique précieux, sec et raide, n'a pas un moment de laisser-aller et de liberté... Ses personnages manquent de vie et d'âme autant qu'il est possible... » et M. Émile Vuillermoz, dans la revue « S. I. M. » : « Au nom de la logique, Ravel enlève à la langue musicale non seulement son internationalisme et son universalité, mais sa simple humanité... »

Portrait par Ouvré (1911).

21 janvier 1912 : Première au Théâtre des Arts du ballet tiré de *Ma Mère l'Oye*.

22 avril 1912 : Première au Châtelet du ballet *Adélaïde ou le langage des fleurs*, tiré des *Valses Nobles et Sentimentales*. Ravel dirige l'orchestre et confie à Roland-Manuel : *Ce n'est pas difficile, c'est toujours à trois temps...* Comme son ami lui demande ce qu'il fait dans les superpositions de rythmes binaires et ternaires, Ravel répond : *Mais à ces endroits-là, je tourne en rond !...*

8 juin 1912 : Première, au Châtelet, du ballet *Daphnis et Chloé*, commandé à Ravel par Diaghilev, sur un argument de Fokine, chorégraphe des Ballets Russes. Ravel s'était mis au travail dès 1909 et l'avait achevé le 5 avril 1912. Nijinsky et la Karsavina tiennent les premiers emplois. Pierre Monteux dirige l'orchestre. Les décors sont de Léon Bakst. L'œuvre connaît d'emblée un franc succès, surtout durant l'année 1913. Plus tard, M. Jacques Rouché la fit inscrire au répertoire de l'Opéra. Nous l'entendons plus souvent au concert sous forme de la célèbre *Deuxième Suite*.

Costume de Laideronnette pour Ma Mère l'Oye
(L. Leyritz).

Décor du premier acte de Daphnis et Chloé (Léon Bakst).

Mon intention en écrivant Daphnis et Chloé *était de composer une vaste fresque musicale, moins soucieuse d'archaïsme que de fidélité à la Grèce de mes rêves, qui s'apparente assez volontiers à celle qu'ont imaginée et dépeinte les artistes français de la fin du XVIIIe siècle.* (E. B.)

Stravinski, par Picasso (1917).

Maurice Ravel habite alors l'Hôtel des Crêtes à Clarens-Montreux, où il travaille, en compagnie de Stravinski, à satisfaire une bizarre commande de Diaghilev : l'orchestration de la « Khovantchina », opéra inachevé de Moussorgski, mais aussi la réorchestration (Rimski était passé par là), et l'arrangement de certaines parties. C'est là que Ravel a connu, grâce à Stravinsky, deux des plus grandes émotions de sa vie musicale : les partitions du « Pierrot Lunaire » de Schœnberg, et du « Sacre du printemps ». Le 29 mai de la même année, Ravel participera naturellement avec enthousiasme à la grande bataille qui accueille le chef-d'œuvre de son ami Stravinsky.

1913 : *Trois poèmes de Stéphane Mallarmé,* pour chant, piano, quatuor, deux flûtes et deux clarinettes.

Au Comité de la S. M. I. : *Projet mirifique d'un concert scandaleux :*

Pièces pour a) récitant, b) et c) chant et piano, quatuor à cordes, 2 flûtes et 2 clarinettes.

a) « Pierrot Lunaire », Schœnberg (21 pièces, 40 minutes).

b) « Mélodies japonaises », Stravinsky (4 pièces, 10 minutes).

c) « 2 poésies de S. Mallarmé », Maurice Ravel.

J'ai assuré à Stravinsky que grâce à Ingelbrecht nous avons en France des chœurs foutus de chanter celui qu'il a composé dernièrement et qui est des plus malaisés. Excellent pour le concert d'orchestre (très court, à peine 5 minutes).

Que l'indépendance vous ait en sa sainte garde. Mais pas trop, hein ? Peut-être pas dans la Salle du Conservatoire. Les ministres n'admettraient pas qu'on s'y tienne comme à la Chambre.

(Lettre adressée le 2 avril 1913 à Mme Alfred Casella, qui secondait son époux dans sa tâche d'animateur de la S. M. I.).

Costumes des Petites Rainettes pour L'Enfant et les Sortilèges (M. Terrasse).

Avenue Carnot (janvier 1913).

1914 : Le *Trio en la*, pour piano, violon et violoncelle, fut composé tout entier en 1914 à Saint-Jean-de-Luz, et on ne peut l'entendre sans évoquer la luminosité du ciel basque. En même temps, dès la déclaration de la guerre, Ravel ne songe qu'à rejoindre le front, malgré la tristesse qu'il éprouve à quitter sa mère. Il multiplie les démarches, mais se heurte aux refus des autorités militaires de Bayonne ; sa petite taille, sa complexion fragile l'éloignent du service armé. Les lettres qu'il écrit à ses amis dans ces moments sont particulièrement émouvantes.

A Ciboure, devant sa maison natale (1914).

Je travaille fenêtres ouvertes par un temps de printemps. Parfois un petit cyclone, une averse le lendemain et il n'y paraît plus. Entre temps je turbine à l'intention du pape. Vous savez que cet auguste personnage dont la maison Redfern exécutera prochainement des projets de costume vient de lancer une nouvelle danse, la forlane. J'en transcris une de Couperin[1]. Je vais m'occuper à la faire danser au Vatican par Mistinguett et Colette Willy en travesti. Ne vous étonnez pas de ce retour à la religion. C'est l'atmosphère natale qui veut ça.

Voici l'Angelus. Je dégringole pour aller dîner.

Chère amie, comme vous le prévoyiez, mon aventure s'est terminée de la façon la plus ridicule : on ne veut pas de moi parce qu'il me manque deux kg. Avant de me rendre à Bayonne j'ai passé un mois à travailler du matin au soir sans seulement prendre le temps d'aller prendre un bain de mer. Je voulais terminer mon Trio que j'ai traité en œuvre

---

1. Allusion évidente à la *Forlane* du futur *Tombeau de Couperin*. Cette lettre étrange, datée d'un samedi du printemps de 1914 (Saint-Jean-de-Luz) est adressée à Cipa Godebski.

1915 : *Trois chansons* pour chœur mixte sans accompagnement *(Nicolette, Trois beaux oiseaux du Paradis, Ronde)* sur des poèmes de Ravel. La seconde de ces chansons, dédiée à Paul Painlevé, qui était aux Dardanelles, dit notamment : *Mon ami-z-il est à la guerre...* La troisième, la *Ronde*, est d'un mouvement si vif qu'on en saisit mal les paroles : on les trouvera ci-contre.

14 mars 1916 : Ravel est enfin parvenu à obtenir un poste de conducteur de camion. On l'envoie à Verdun. Son adresse, désormais : « Conducteur Ravel - S. P. 4 par B. C. M. »

1916 : Dysenterie ; intervention chirurgicale au front ; mutation au parc automobile de Châlons-sur-Marne (6 septembre) ; lecture du « Grand Meaulnes » d'Alain Fournier : Ravel, subjugué, songe dès cet instant à s'inspirer de ce roman pour composer une œuvre violoncelle-orchestre. On danse *Adélaïde* à l'Opéra, mais le conducteur Ravel a les pieds gelés et attend une permission de convalescence. Sa mère meurt le 5 janvier 1917. Ravel passe un mois à Paris, puis repart pour Châlons.

20 juin 1917 : Ravel s'installe à Lyons-la-Forêt, définitivement réformé, et se remet au travail. Ce même jour, il écrit à son ami Lucien Garban pour lui demander de lui envoyer les « Études Transcendantes » de Liszt.

1917 : *Le Tombeau de Couperin*. Ces six pièces pour piano, dédiées chacune à un ami tué sur le front, seront orchestrées (à l'exception de la *Fugue* et de la *Toccata*) par Ravel à l'intention des Concerts Pasdeloup, et des Ballets Suédois de Jean Borlin.

1919 : Séjour à Mégève, puis à Lapras, près de Lamastre (Ardèche). Diaghilev commande à Ravel un poème chorégraphique sur le thème de Vienne et de ses valses. *L'Heure Espagnole* est donnée à Londres (Covent Garden) et obtient un triomphe (dix-sept rappels). Marguerite Long donne la première audition, à la Salle Gaveau, du *Tombeau de Couperin*.

*Costume du Feu pour
L'Enfant et les Sortilèges.
(P. Colin).*

posthume. Cela ne veut pas dire que j'y ai prodigué le génie mais bien que l'ordre de mon manuscrit et des notes qui s'y rapportent permettraient à tout autre d'en corriger les épreuves. Tout cela est inutile : il n'en résultera qu'un Trio de plus... (Lettre à Ida Godebska en date du 8 septembre 1914.)

*N'allez pas au bois d'Ormonde,
Jeunes filles, n'allez pas au bois.
Il y a plein de satyres, de centaures, de malins sorciers,
Des farfadets, des incubes, des ogres, des lutins,
Des faunes, des follets, des lamies, diables, diablots, dia-
[blotins,
Des chèvres-pieds, des gnomes, des démons, des loups-
[garous,
Des elfes, des myrmidons, des enchanteurs et des mages,
Des stryges, des sylphes et des moines bourrus, des cyclopes,
[des djinns,
Gobelins, korrigans, nécromants, kobolds... Ah !*

(*Ronde* des *Trois Chansons* - poème de Ravel.)

Le major m'a déconseillé vivement l'aviation. Je fais de l'hypertrophie du cœur. Oh ! Pas beaucoup, et cela n'est pas grave, m'a-t-on dit. Je ne me frapperais pas autrement si j'avais eu toute ma vie des petits malaises du cœur, ce qui est le cas de la plupart des hommes mais voilà : quand à la fin de l'année dernière je me suis fait examiner sérieusement, les médecins n'avaient rien découvert. Donc c'est accidentel et je m'explique maintenant cet odieux mal auquel ma vie aventureuse m'empêchait de prendre garde.

Que faire maintenant ? Si je repasse la visite devant un major plus sérieux, je serai déclaré inapte à l'automo-bilisme et l'on me flanquera dans les bureaux. Vous-même comprendrez que je préfère laisser aller les choses. Je ne serai pas le seul que la guerre aura détraqué. Et puis, du reste, je n'ai pas à regretter ce que j'ai fait. Si ça ne s'est déclaré que ces derniers temps, je sais bien que ça a commencé le 3 août 1914 à trois heures de l'après-midi.

(Lettre à Jean Marnold en date du 25 mai 1916.)

16 janvier 1920 : Promotion de M. Ravel Joseph-Maurice dans l'ordre de la Légion d'Honneur. Ravel télégraphie aussitôt à Roland-Manuel en le priant de *démentir*, et refuse obstinément d'acquitter ses droits de chancellerie, ce qui motivera une radiation au Journal Officiel. Le ministre de l'Instruction Publique, M. Léon Bérard, est désolé.

Quelques jours auparavant, *La Valse* a été donnée en première audition aux Concerts Lamoureux, Salle Gaveau, sous la direction de Camille Chevillard. Diaghilev avait refusé de porter cette œuvre à la scène.

15 juin 1921 : Ravel dirige la centième représentation du ballet tiré du *Tombeau de Couperin* représenté par les Ballets Suédois. Il vient de s'installer au « Belvédère » à Montfort l'Amaury où il termine la *Sonate* pour violon et violoncelle, dont la première audition sera donnée par Hélène Jourdan-Morhange et Maurice Maréchal.

Été 1922 : Orchestration, à Lyons-la-Forêt, près de Roland-Manuel, des « Tableaux d'une Exposition » de Moussorgsky (commande de Serge Koussevitsky).

1923 : Voyages et tournées de concerts à Amsterdam, Venise, Londres, où il dirige *La Valse* et *Ma Mère l'Oye*. Ravel est très fier d'être jugé par les Anglais *sinon un grand, du moins un bon chef d'orchestre* (Lettre à Hélène Jourdan-Morhange du 16 avril 1923).

1924 : Ravel travaille simultanément à la *Sonate* pour violon et piano, à *Tzigane*, pièce de virtuosité pour violon et piano-luthéal, à une mélodie *Ronsard à son âme*, dédiée à Marcelle Gérar, et surtout à *L'Enfant et les Sortilèges*, entrepris en 1920, et qui doit être remis à l'Opéra de Monte-Carlo avant le 31 décembre 1924.

Il se rend néanmoins à Barcelone, pour un concert consacré à ses œuvres, en compagnie de Marcelle Gérar. Dans un café, un violoniste le reconnaît et joue la *Habanera*. Ravel remercie et demande qu'on lui joue « du jazz ». Le violoniste est étonné.

Je pense quelquefois à un admirable couvent en Espagne mais, sans la foi, ce serait complètement idiot. Et le moyen d'y composer des valses viennoises et autres fox-trots...

(Lettre à Mlle Marnold datée du 25 mars 1920 à Lamastre.)

Après Le Tombeau de Couperin, *mon état de santé m'empêcha quelque temps d'écrire. Je ne me remis à la composition que pour écrire* La Valse, *poème chorégraphique, dont l'idée première était antérieure à la* Rhapsodie Espagnole. *J'ai conçu cette œuvre comme une espèce d'apothéose de la valse viennoise à laquelle se mêle, dans mon esprit, l'impression d'un tournoiement fantastique et fatal. Je situe cette valse dans le cadre d'un palais impérial, environ 1855.* (E. B.)

Je crois que cette Sonate marque un tournant dans l'évolution de ma carrière. Le dépouillement y est poussé à l'extrême. Renoncement au charme harmonique ; réaction de plus en plus marquée dans le sens de la mélodie. (E. B.)

179

Frontispice de Dufy pour les œuvres de Bartok, Dukas, Falla, Goossens, Malipiero, Ravel, Roussel, Schmitt, Satie, et Stravinski qui constituent le « Tombeau » de Debussy, Ravel ayant écrit pour la circonstance la Sonate pour violon et violoncelle.

Madeleine Grey

Le déjeuner de Montfort. De g. à d. :
Mme Delage, Gil-Marchex, Mme Gil-
Marchex, Mme Ibert et Mme Joaquim
Nini, Arthur Honegger et Roland-
Manuel en cuisiniers.

Mars 1925 : Création à Monte-Carlo de *L'Enfant et les Sortilèges* sous la direction de Victor de Sabata. C'est à M. Jacques Rouché que revient l'honneur d'avoir, dès 1917, communiqué à Ravel le texte de Colette intitulé primitivement « Ballet pour ma fille ». Ravel demanda à sa librettiste improvisée plusieurs retouches. « Il parut seulement se soucier, dit Colette (*Maurice Ravel*, Éd. du Tambourinaire) du duo miaulé entre les deux chats, et me demanda gravement si je ne voyais pas d'inconvénient à ce qu'il remplaçât *Mouao* par *Mouain*, ou bien le contraire. »

1ᵉʳ février 1926 : Création à Paris (Opéra-Comique) de *L'Enfant et les Sortilèges*, sous la direction d'Albert Wolff. Public très déconcerté. Critique modérée. Quinze représentations. Ravel est en tournée de concerts en Scandinavie et en Angleterre.

1926 : *Chansons Madécasses*, pour chant, flûte, violoncelle et piano, cette formation ayant été imposée par la « commanditaire » de l'œuvre, une mélomane américaine, Mrs Elizabeth S. Coolidge. Les premières auditions de ces mélodies ont été données successivement par Madeleine Grey et Jane Bathori.

Que penseriez-vous de la tasse et de la théière en vieux wedgewood noir chantant un rag-time ? J'avoue que l'idée me transporte de faire chanter un rag-time par deux nègres à l'Académie nationale de musique.

(Lettre à Colette.)

Les Chansons Madécasses *me semblent apporter un élément nouveau dramatique — voire érotique, qu'y a introduit le sujet même des chansons de Parny. C'est une sorte de quatuor où la voix joue le rôle d'instrument principal. La simplicité y domine. L'indépendance des parties [s'y affirme] que l'on trouvera plus marquée dans la* Sonate. *Je me suis imposé cette indépendance et écrivant une* Sonate *pour piano et violon, instruments essentiellement incompatibles, et qui, loin d'équilibrer leurs contrastes, accusent ici cette même incompatibilité.* (E. B.)

181

1927 : *Sonate* pour piano et violon, dédiée à Hélène Jourdan-Morhange.

1928 : Tournée au Canada et aux U. S. A., de New-York à Chicago, de San Francisco à Los Angeles, Seattle, Vancouver, Minneapolis, Houston, Colorado, Buffalo, New-York et Montréal. Après un des concerts, dirigé par Koussevitsky, Ravel reçoit une ovation de dix minutes, mais refuse obstinément de monter sur la scène. Partout, il dirige l'orchestre, ou bien joue sa *Sonatine*, ou encore accompagne ses mélodies. A Gershwin, qui lui demande des leçons, Ravel répond : « Vous perdriez la grande spontanéité de votre mélodie pour écrire du mauvais Ravel. » (Rapporté par M. Goss, in « Boléro ».)

20 novembre 1928 : Première représentation du ballet *Boléro* à l'Opéra par les ballets Ida Rubinstein, qui l'avait commandé quelques mois auparavant, et que Ravel commença à Saint-Jean-de-Luz. Gustave Samazeuilh écrit, dans la « Revue Musicale » (1938) : « Je goûtais le savoureux spectacle de voir Ravel en peignoir jaune et en bonnet rouge écarlate, me jouant, avant d'aller prendre notre bain matinal, le thème de *Boléro*, et me disant : M*me Rubinstein me demande un ballet. Ne trouvez-vous pas que ce thème a de l'insistance ? Je m'en vais essayer de le redire un bon nombre de fois sans aucun développement, en graduant de mon mieux mon orchestre. »* A la première, une dame, cramponnée à son fauteuil crie : « Au fou ! Au fou ! » Ravel, à qui son frère raconte la scène, ajoute : *Celle-là, elle a compris !* M. José Bruyr rapporte aussi dans son « Maurice Ravel » cette déclaration du compositeur à propos de son œuvre la plus célèbre : *Une fois l'idée trouvée, n'importe quel élève du Conservatoire devait, jusqu'à cette modulation-là, réussir aussi bien que moi.*

Septembre 1929 : La rue du Quai, à Ciboure, devient le quai Maurice-Ravel.

*Au Belvédère, de g. à dr. et de h. en b. : Andrée Vaurabourg, M*me* Lucien Garban, Arthur Honegger, Germaine Tailleferre, Mme X., Madeleine Picard, Lucien Garban, Ravel et Mlle Pavloski.*

Aux U. S. A. avec Mary Pickford et Douglas Fairbanks.

Une partie de pelote à Saint-Jean-de-Luz.

1929-1931 : Composition simultanée des deux *Concertos*, Ravel partageant son temps entre Levallois, Montfort et de longues soirées avec ses amis. Le *Concerto pour la main gauche*, écrit à la demande du pianiste autrichien Wittgenstein, amputé du bras droit, est terminé le premier et créé à Vienne le 27 novembre 1931. Le *Concerto en sol*, est créé à Paris, salle Pleyel, le 14 janvier 1932, Marguerite Long au piano, Ravel conduisant l'orchestre. Aussitôt, Ravel entreprend une grande tournée en Europe centrale, avec Marguerite Long, pour y donner, partout avec un immense succès, le *Concerto*.

1932 : *Don Quichotte à Dulcinée* (textes de P. Morand), chant et piano. Ravel n'a plus que des projets : tirer un grand ouvrage lyrique de la « Jeanne d'Arc » de Delteil ; une féerie, *Morgiane*, d'après l' « Histoire d'Ali-Baba » ; une œuvre symphonique d'après « Le Grand Meaulnes » ; un oratorio d'après les « Fioretti » de saint François d'Assise. Manuel de Falla a déclaré même (« Revue Musicale », 1938) qu'une des parties avait été ébauchée : le « Sermon aux Oiseaux ».

1933 : Première atteinte du mal ; en se baignant à Saint-Jean-de-Luz, Ravel s'aperçoit qu'il ne peut plus exécuter certains mouvements. Il part se reposer au Mont-Pèlerin, près de Vevey. Les médecins parlent d'apraxie, de dysphasie. L'intelligence de Ravel est parfaitement claire. Il est seulement frappé d'impossibilités, celle d'écrire, voire d'atteindre un objet à portée de sa main. A Montfort, où Hélène Jourdan-Morhange le trouve accoudé à son balcon, comme son amie lui demande ce qu'il fait, Ravel répond : *J'attends.*

15 février 1935 : Départ, avec son grand ami Léon Leyritz, et grâce à Mme Ida Rubinstein, pour un voyage fabuleux en Espagne et au Maroc. Embarquement à Algésiras, après une nuit à Madrid. Trois semaines à Marrakech, à l'hôtel de la Mamounia. Ravel passe des heures en contemplation devant le spectacle de la place Djemma-el-Fna. Le Glaoui donne des fêtes

Ravel en Docteur honoris causa d'Oxford (1931).

en son honneur. Si Mammeri lui fait entendre des airs marocains du VXIe siècle. Excursion à Telouët, dans l'Atlas, domaine d'un des fils du Glaoui. Jardin des Oudayas, près de Fez. Retour par Séville et Cordoue, Vittoria et Pampelune.

1936-1937 : A Saint-Jean-de-Luz ou à Montfort, à Levallois, près de son frère ou à Paris chez son ami Maurice Delage, Ravel vit silencieusement, entouré par ses amis, soigné par sa fidèle gouvernante Mme Révelot.

19 décembre 1937 : Intervention chirurgicale à la clinique de la rue Boileau (professeur Clovis Vincent).

28 décembre, au petit jour, mort de Maurice Ravel, qui repose au cimetière de Levallois, près de ses parents.

Discographie critique

ÉTABLIE PAR JACQUES LE CALVÉ (mise à jour décembre 1981)

Plus de deux cent disques consacrés à Ravel sont actuellement disponibles sur le marché français. C'est dire que cette sélection d'une vingtaine de gravures essaie, de façon draconienne, de mettre en valeur les réussites les plus parfaites en ignorant donc les interprétations qui nous semblent contestables, voire seulement décevantes. Voici donc, dans l'esprit unique de la compréhension ravélienne qu'apporte le cœur et la pensée de Vladimir Jankelevitch, les jalons essentiels de cette musique ineffable.

POUR UNE APPROCHE ESSENTIELLE

Boléro - La valse - Ma mère l'oye

Pierre Monteux, Orchestre Symphonique de Londres.

Philips 6500 226
Cassette   18 152

La jaquette même est une invitation secrète : un jardin lumineux se devine derrière une grille en fer forgé. C'est l'état de grâce, l'ineffable perfection faite de subtilité et de pudeur, de sensibilité et de respect : la clef d'un univers.

Concerto en sol majeur - Concerto pour la main gauche

Samson François, Orch. Conservatoire, direction A. Cluytens.

Pathé 069 10867
Cassette 269 10867

Parmi plus de dix versions, force est de reconnaître que cet enregistrement stéréophonique qui a plus de dix ans, continue de rester incomparable. L'interprétation survoltée du concerto en sol par Martha Argerich (DG) est étonnante, mais ne s'éloigne-t-on pas du mystère ravélien ? Je le pense. Traduire à la fois l'angoisse, la fraîcheur, l'innocence ; maîtriser les difficultés techniques, la subtilité des phrasés, Samson François le réalise avec génie, soutenu par un orchestre éblouissant où chaque pupitre exprime cette aristocratie des timbres chère à Ravel.

Daphnis et Chloe (ballet intégral)

Lorin Maazel, chœurs et orchestre de Cleveland.
Pierre Monteux, orchestre symphonique de Londres.

Decca 7298
Decca   592 027
Cassette 4 592 067

Lorin Maazel nous semble, avec Sergio Célibidache (qui refuse obstinément de réaliser des disques pour des raisons qu'il rattache à la philosophie qui lui est propre et nous prive de l'idéal absolu) le plus grand chef ravélien vivant. Las, le centenaire de Ravel en 1975 n'aura même point été l'occasion d'une intégrale orchestrale. Mystère des décisions des directeurs artistiques des grandes firmes phonographiques mondiales qui semblent oublier les quelque quatre disques qu'il a consacré à Ravel, et le nombre incalculable de concerts admirables où il a prodigieusement servi notre compositeur ! Qui se souvient des mémorables exécutions du concerto pour la main gauche avec Sviatoslav Richter et l'Orchestre National ?

Reste ce phare essentiel qu'il a enregistré en 1975, dont la splendeur de la prise de son rend sensible un « climat » d'une authenticité parfaite.

Il ne faut pourtant pas oublier l'autre version de référence, à prix économique, qui a scandaleusement disparue des catalogues français, enregistrée par le même éditeur il y a une dizaine d'années, et qui atteint la même perfection idéale, sous la direction de Monteux.

POUR UNE MEILLEURE CONNAISSANCE

Le centenaire de la naissance de Ravel nous a valu, en 1975, la parution de deux albums de trois disques qui ont comblé tous les ravéliens et que les Académies de Disque n'ont pas manqué d'honorer. « Les choses étant ce qu'elles sont », ces six disques Calliope qui nous firent découvrir le pianiste Jacques Ravel – lauréat du concours Ravel 1975 – ont disparu. Jacques est maintenant professeur au Conservatoire de Paris mais pourquoi donne-t-il si peu de récitals ? Une jeune marque française courageuse avait pris le risque de lui donner la confirmation de son exceptionnel talent : sans concerts, les discophiles ont oublié son nom...

Heureusement, le seul élève de Ravel, Vlado Perlemuter, a enregistré, pour la seconde fois, l'intégrale de son œuvre de piano pour une marque anglaise tout aussi courageuse. Une prodigieuse intégrale remplace la précédente et nous console – un peu – que ce soient des étrangers qui aient enfin honoré cet immense pianiste.

Gaspard de la nuit - Jeux d'eau - Menuet antique - Pavane pour une infante défunte   Nimbus 2101
Miroirs - Menuet sur le nom de Haydn - Sonatine   Nimbus 2102
Valses nobles et sentimentales - Tombeau de Couperin - Prélude - A la manière de...   Nimbus 2103
Cette intégrale en trois disques séparés bénéficie d'un climat, d'une qualité technique, d'un état de grâce qui en font une référence absolue.

Depuis la disparition de la seule intégrale de la musique de chambre éditée par Calliope, le critique est dans l'expectative : on nous prive de LA version du Trio, de LA version du Quatuor, de LA version de l'Introduction. Ce n'est pas la fausse intégrale de Pathé, en deux disques économiques qui puisse la remplacer. Restent deux disques de grande qualité :
Quatuor (avec celui de Debussy) par le quatuor Via Nova   Erato 70613
Trio en la mineur - Sonate violon et violoncelle   Erato 70861
Jean-Jacques Rantorow, violon – Philippe Muller, violoncelle – Jacques Rouvier, piano.
Le seul disque où nous puissions retrouver – dans une autre marque – le pianiste qui signa une remarquable intégrale de l'œuvre de piano de Ravel. Le problème de l'intégrale des œuvres orchestrales est un nouveau scandale « de culture » ; toutes sont supprimées. Et l'excellente de Jean Martinon avec l'Orchestre National, réalisée pour le centenaire, et celle de Manuel Rosenthal, ami de Ravel (Vega), et celle – sans aucun intérêt sauf pour défouler les critiques, de Ozawa, mais surtout la fulgurante de Charles Munch réalisée avec l'orchestre de Boston (RCA). Reste un très bon album anthologique de deux disques à prix économique d'André Cluytens, mais Ravel, C'EST MUNCH (et heureusement, C'EST Perlemuter).   EMI 183 450-451

Boléro - Rapsodie espagnole - Pavane - Daphnis (2e suite)
Charles Munch, orchestre de Paris.   VSM 069 10239
                                                       cassette 269 10239
Heureusement, il nous reste l'un des tous derniers disques de cet immense ravélien, à la tête de l'orchestre qu'il a créé. Un Boléro tourbillonnant jusqu'au démoniaque – ce n'est pas l'imperturbable tempo qu'exigeait Ravel mais Munch a tous les droits. Une Rapsodie fourmillante de sortilèges et une Bacchanale comme seul Munch sait la conduire jusqu'au délire. Tout ceci ne fait que renforcer notre nostalgie – notre courroux – de la disparition de son intégrale réalisée par RCA.

L'enfant et les sortilèges

Lorin Maazel, chœurs et orchestre de RTF. DG 138675

Une réalisation quasi exemplaire, qui risque de ne point rester longtemps disponible au catalogue français, car les parents semblent oublier que cette œuvre peut faire AUSSI la joie et l'émerveillement des enfants, dès la classe maternelle. Lorin Maazel exprime le frémissement pudique de cette musique, en même temps que la rigueur rythmique : un phare ravélien.

L'heure espagnole

Jane Berbié, Michel Sénéchal, Jean Giraudeau, Orch. National Maazel.

DG 138970

Après la disparition de trois vieilles versions mono intéressantes, voici l'interprétation idéale, encore signée Lorin Maazel. Enfin nous entendons la partie orchestrale autant que les chanteurs, ce qui est tellement important pour tenter de découvrir les perspectives multiples voire inépuisables de cette partition qui ne recueille point les faveurs du grand public.

Schéhérazade (avec les Nuits d'Été de Berlioz)

Régine Crespin, Orchestre de la Suisse Romande, dir. Ernest Ansermet.

Decca 7023

Tous les sortilèges ravéliens sont ici présents dans un éblouissant enregistrement qui vous permettra de découvrir un chef-d'œuvre de Berlioz.

Mélodies : Histoires naturelles - Ronsard à son âme - Don Quichotte à Dulcinée - Sur l'herbe - Sainte - Rêves - 2 mélodies hébraïques - 2 épigrammes de Marot

Jacques Herbillon, baryton, Théodore Paraskivesco, piano. Calliope 1856

Une admirable anthologie qui apporte la version idéale des Histoires Naturelles et plusieurs mélodies enregistrées pour la première fois.

POUR LE NOSTALGIQUE

Il regrettera la disparition d'un merveilleux disque orchestral de Louis Martin avec l'orchestre des solistes de Paris. Celle de la version de référence du quatuor par le Quatuor Calvet disponible seulement... au Japon. Il souhaitera la reparution des cinq œuvres orchestrales enregistrées par Freitas-Branco. Il rêvera d'une intégrale orchestrale Célibidache au paradis des discophiles et, au moins, de celle de Munch.

ICONOGRAPHIE : Collection Marcelle Gérar : p. 18, 135, 157, 180, 183. *Collection Hélène Jourdan-Morhange :* p. 51, 57, 81, 87, 95, 185. *Collection Léon Leyritz :* p. 110, 122, 141, 145, 147, 183. *Collection Roland-Manuel :* p. 4, 37, 159, 160, 182. *Lipnitzki :* p. 73, 88, 136. *Roger Roche :* p. 22, 64, 66, 71, 75, 77, 78, 121, 124, 129, 158, 165, 166, 178. *Collection Georges-Jean Aubry :* p. 31. *Photos Ariel-Temporal :* p. 39. *Photos Sextia-Aude :* p. 119. *Harlingue :* p. 174, 175. *Wide World :* p. 184. *Photos Étienne, Bayonne :* p. 2 et 3 de couverture. Les reproductions de costumes proviennent de la Bibliothèque de l'Opéra.

Exemples musicaux

1er Mouvement

Scherzo

Andante

Finale

QUATUOR A CORDES

SONATE EN DUO

LES CADENCES

AOUA

Bibliographie sommaire

Roland-Manuel, *Maurice Ravel* (2 hors texte), Gallimard, 1948 (2ᵉ éd. du *Ravel* paru en 1938 à la « Nouvelle Revue Critique » avec 30 illustrations.
Hélène Jourdan-Morhange, *Ravel et nous*, 26 photos et dessins de L.-A. Moreau, Milieu du Monde, 1945.
René Chalupt, *Ravel au miroir de ses lettres*, correspondance réunie avec Marcelle Gérar, Laffont, 1956.

On pourra consulter aussi :
Roland-Manuel, *Ravel et son œuvre dramatique*, Librairie de France, 1928.
La Revue Musicale (nᵒ spécial avec 30 ill.), *Hommage à Maurice Ravel*, décembre 1938.
Colette, L.-P. Fargue, M. Delage, T. Klingsor, Roland-Manuel, D. Sorbet, E. Vuillermoz, J. de Zogheb, *Maurice Ravel*, avec 30 ill., Tambourinaire, 1939.
Marguerite Long, Hélène Jourdan-Morhange, Tony Aubin, Arthur Hoérée, L.-P. Fargue, G. Pioch, *Maurice Ravel*, Pub. Techniques et Artistiques, 1945.
Frank Onnen, *Maurice Ravel*, (traduction anglaise publiée par « The Continental Book Company, A. B., Stockholm), 1947.
Norman Demuth, *Ravel*, Dent and Sons Ltd., Londres, 1947.
Armand Machabey, *Maurice Ravel*, Coll. « Triptyque », Richard-Masse, 1947.
José Bruyr, *Maurice Ravel ou le lyrisme et les sortilèges*, Plon, 1950.
Les pianistes auront intérêt à étudier *Ravel d'après Ravel*, de H. Jourdan-Morhange et V. Perlemuter, Cervin, Lausanne, 1953. Entretiens que ces grands interprètes ont eus à l'ORTF (93 ex. musicaux commentés).

collections microcosme
DICTIONNAIRES

MAITRES SPIRITUELS

ACHEVÉ D'IMPRIMER EN 1982 PAR L'IMPRIMERIE TARDY QUERCY S.A. BOURGES
D. L. 4e trim. 1956 - N° 780.9 (2389)